A
03/20
#2-

CLINIQUE VALROSE

5
H82

LES ÉDITIONS LA SEMAINE
Charron Éditeur inc.
Une société de Québecor Média
955, rue Amherst
Montréal (Québec) H2L 3K4

Directrice des éditions : Annie Tonneau
Directrice artistique et couverture : Lyne Préfontaine
Coordonnateur des éditions : Jean-François Gosselin

Photo de l'auteure : Maxyme G. Delisle
Infographie : Echo international

Cet ouvrage est une œuvre de fiction. Toute ressemblance avec des personnes réelles ou avec des événements ayant eu lieu, est purement fortuite.

L'éditeur bénéficie du soutien de la Société de développement des entreprises culturelles du Québec (SODEC) pour son programme d'édition.

Nous reconnaissons l'aide financière du gouvernement du Canada par l'entremise du Fonds du livre du Canada pour nos activités d'édition.

REMERCIEMENTS
Gouvernement du Québec (Québec) — Programme de crédit d'impôt pour l'édition de livres — Gestion SODEC

Dépôt légal : quatrième trimestre 2015
Bibliothèque et Archives nationales du Québec
Bibliothèque et Archives Canada

ISBN : 978-2-89703-322-4

Francine Allard

CLINIQUE VALROSE

Le désespoir de Mathieu

ROMAN

ÉDITIONS
LASEMAINE

Une société de Québecor Média

DISTRIBUTEURS EXCLUSIFS

• Pour le Canada et les États-Unis :
MESSAGERIES ADP*
2315, rue de la Province
Longueuil (Québec) J4G 1G4
Tél. : 450 640-1237
Télécopieur : 450 674-6237
* une division du Groupe Sogides inc.,
filiale du Groupe Livre Québecor Média inc.

• Pour la France et les autres pays :
INTERFORUM editis
Immeuble Paryseine, 3, Allée de la Seine
94854 Ivry CEDEX
Tél. : 33 (0) 4 49 59 11 56/91
Télécopieur : 33 (0) 1 49 59 11 33

Service commande France métropolitaine
Tél. : 33 (0) 2 38 32 71 00
Télécopieur : 33 (0) 2 38 32 71 28
Internet : www.interforum.fr

**Service commandes Export —
DOM-TOM**
Télécopieur : 33 (0) 2 38 32 78 86
Internet : www.interforum.fr
Courriel : cdes-export@interforum.fr

• Pour la Suisse :
INTERFORUM editis SUISSE
Case postale 69 — CH 1701 Fribourg — Suisse
Tél. : 41 (0) 26 460 80 60
Télécopieur : 41 (0) 26 460 80 68
Internet : www.interforumsuisse.ch
Courriel : office@interforumsuisse.ch

Distributeur : OLF S.A.
ZI. 3, Corminboeuf
Case postale 1061 — CH 1701 Fribourg — Suisse

Commandes : Tél. : 41 (0) 26 467 53 33
Télécopieur : 41 (0) 26 467 54 66
Internet : www.olf.ch
Courriel : information@olf.ch

• Pour la Belgique et le Luxembourg :
INTERFORUM BENELUX S.A.
Fond Jean-Pâques, 6
B-1348 Louvain-La-Neuve
Tél. : 00 32 10 42 03 20
Télécopieur : 00 32 10 41 20 24

1

Il tombait des flocons ronds, lourds et paresseux. Par la fenêtre du salon, il lui semblait que les arbres subissaient l'hiver comme on reçoit une injection, sans trop la vouloir. Cette pensée le fit rire. Il balaya du regard l'appartement presque vide qu'il avait loué en attendant.

Le docteur Mathieu Crevier vivait « en attendant ». En attendant que Stéphanie termine sa crise, qu'elle lui laisse voir ses enfants, qu'elle change d'idée au sujet de son amant dentiste et, surtout, qu'elle retrouve cette fougue sensuelle qui avait fait croire à Mathieu qu'elle l'aimait encore. Les avocats s'étaient succédé devant une juge qui ne semblait pas comprendre que les femmes ne sont pas toujours des victimes. Stéphanie lui glissait entre les doigts comme une savonnette. Sa vie lui échappait. Il n'avait pas vu Hubert et Zoé depuis plus de cinq mois, n'ayant pas réussi à convaincre leur mère de le laisser les emmener chez lui une fois de temps à autre.

— Ton appartement est trop petit. Il n'y a rien pour jouer ni pour dormir convenablement ! avait-elle sèchement affirmé.

— Je ne vais pas dépenser pour leur organiser une chambre et une salle de jeux, tant que je ne saurai pas. Tant que la juge ne m'accordera pas mes droits de paternité.

Selon lui, Stéphanie ne semblait pas comprendre une chose essentielle. Quelques années auparavant, il était un père merveilleux, un amant terrible, un médecin parfait. Et puis, le jour où elle avait rencontré Gérald Massé, son dentiste, qu'elle lui avait laissé accrocher sa chemise sur le presse-pantalons, qu'elle lui avait permis de ranger sur le bord de l'évier sa mousse à barbe et sa brosse à dents, Mathieu était devenu persona non grata dans sa propre maison. Il avait été sacré le pire père de la terre et elle lui avait lancé :

— Jamais je ne te prendrais comme médecin.

Parce qu'ils s'étaient séparés, Mathieu ne convenait plus à Hubert et Zoé. Combien de femmes avait-il rencontrées à son cabinet qui, devant le laxisme de la Cour, avaient inventé les pires accusations contre leur ex-mari : abus sexuel en changeant la couche, violence quand l'enfant se blessait en tombant, négligence quand ce dernier avait sali ses vêtements en faisant de la gouache. Mathieu se dit que bien des hommes étaient des victimes alors qu'ils aimaient leurs enfants plus que tout. Ne plus voir ses enfants était la pire déchéance pour bien des pères et plusieurs d'entre eux auraient sans doute mieux réussi que leur ex-conjointe dans l'éducation de leurs enfants. Avant, les juges accordaient automatiquement la garde des enfants à la mère puisqu'elle demeurait à la maison en leur assurant — ce qui était souhaitable — une grande stabilité. Mais depuis, les femmes sont parties au travail et ont confié les enfants au service de garde. Match nul, en quelque sorte.

Au moins, il y avait Géraldine Sirois. Elle coûtait cher — il avait accepté de payer ses gages —, mais elle assurait le rôle d'une bonne grand-maman auprès d'Hubert et de Zoé. Même si elle prenait de plus en plus de place dans leur vie depuis que Stéphanie se refaisait une vie de couple. Entre le Bistro de La Traverse et les croisières, madame Sirois devenait le phare dans la vie de ses enfants. Il aurait très bien pu en profiter pour les voir quand Stéphanie était en voyage, mais la bonne Géraldine avait appris sa leçon : méfiez-vous de Mathieu-l'abuseur, le monstre sanguinaire, le voleur d'enfants.

Avec le temps, Hubert et Zoé avaient fini par ne plus nommer leur père. Lavage de cerveau. Ne plus parler de papa.

Ses pensées dérivèrent alors vers une figure moins familière : Hélène Desrosiers. L'infirmière qui l'avait accompagné à la mort du petit Étienne, le jumeau de Zoé. Que devenait-elle ? Avait-elle trouvé un gars pour ensoleiller ses jours ?

* * *

La clinique d'obésité Valrose faisait des heureux, mais était souvent la cible de quolibets. Ainsi, quand le concierge Toni Cavarelli avait aperçu une douzaine de grosses personnes dans la salle d'attente, il n'avait pu s'empêcher de lancer :

— Ça va prendre des poutres supplémentaires dans le sous-sol !

Mathieu, qui était fier de son concept, ne la trouva pas drôle. Et il répliqua aussi sec, avant même que Toni n'arrête de rigoler :

— Ne te moque pas. Outremanger, c'est comme consommer de la drogue. Et avoir le courage de venir à notre clinique, ça ressemble à celui que ça t'a demandé pour aller en désintoxication. Tu comprends ? On parle de prévention à chaque jour. J'ai bien l'impression qu'en les aidant à maigrir, on élimine un paquet de maladies chez ces patients. J'espère que toi, Toni, tu peux comprendre ça !

— Je ne voulais pas vous faire fâcher, Docteur Crevier. C'était une blague. Juste pour rire. Vous me connaissez, depuis le temps !

— Alors, oui, elle est bonne, ta blague ! Va donc faire couler le café. Deux laits, un sucre.

Mathieu entra dans son cabinet. La liste des rendez-vous était longue. Il écarquilla les yeux. C'était trop incroyable ! Hélène Desrosiers était inscrite dans le cahier des rendez-vous. Était-ce elle ou une autre Hélène Desrosiers ? L'avant-midi serait long : elle avait rendez-vous à 13 h 30.

Hélène Desrosiers voulait voir Mathieu Crevier, mais ce n'était pas pour lui parler de son état de santé.

— Quelque chose ne va pas ?

— Tout baigne. Je voulais te parler, Mathieu. La dernière fois que nous nous sommes vus, tu semblais vouloir que l'on se fréquente. Mais là, j'ai rencontré quelqu'un.

— Ah, c'est correct. Je suis déçu, mais c'est correct. En autant que ce n'est pas un type violent.

— Ce n'est justement pas un… gars, Mathieu.

— Une fille ? explosa-t-il. C'est vrai que ça arrive souvent depuis quelques années. Les hommes n'ont plus le tour avec les femmes, on dirait !

— J'ai rencontré une femme formidable. Elle est propriétaire d'un restaurant. Je vais laisser l'hôpital et aller travailler avec elle.

Mathieu se demanda quelle mouche l'avait piquée. Et aussi pourquoi les femmes le fuyaient autant. Il baissa les yeux.

— Bon, alors t'as besoin d'un examen ou si nous n'avons plus rien à dire? Je suis en retard dans mes rendez-vous, glissa-t-il froidement.

— Je sais que je te surprends et que je te fais peut-être même de la peine. Mais j'ai trouvé ma voie. Et je saute à pieds joints. Non, pas besoin d'un examen. Je voulais juste te dire ça.

Hélène se leva, sourit à son docteur avec tendresse et sortit. Mathieu demeura assis, immobile. Il ouvrit la radio qui l'accompagnait quand il avait terminé son bureau et qu'il avait beaucoup de paperasse à feuilleter. Lisa Leblanc chantait: « Ma vie, c'est d'la marde! » Il s'esclaffa.

**

Sylvie Nadon avait rendez-vous à la clinique d'obésité Valrose avec la docteure Mary-Ann Flanders. Ça lui avait pris plusieurs semaines à prendre un rendez-vous. La crainte de devoir se dévêtir devant un médecin s'était atténuée du fait qu'il s'agissait d'une femme. Sylvie était une jolie *toutoune* et son excès de poids ne dépassait guère 25 %. Elle était directrice du service de la bibliothèque de Sainte-Marie. Un beau brin de fille, qui, chaque fois qu'on se retournait sur elle, faisait dire : « Que c'est dommage ! »

La docteure Flanders était elle-même légèrement enveloppée et lorsque Sylvie Nadon l'aperçut, sortant pour appeler le prochain patient, elle eut tout de suite pour le médecin une confiance indestructible.

Quand son tour arriva, elle accepta l'invitation à s'asseoir devant le bureau de la docteure.

— Bon, vous avez décidé de perdre du poids, *my dear* ?

— Euh, oui, bien sûr.

— Pour l'esthétique ? Pour la santé ?

— Je veux danser dans *Casse-Noisette*. Un rêve d'enfance, répondit Sylvie avant de se mettre rire.

— Ah, ça, pour casser des noisettes, vous seriez impeccable ! L'exercice vous fera beaucoup de bien, en effet. Mais je vous avertis, les pointes, ça va faire crochir vos orteils ! énonça le médecin avant d'imiter sa patiente et d'éclater de rire elle aussi. Je vous suggère plutôt les *push-ups*.

Ann-Mary Flanders aimait les gens qui possédaient l'art de l'autodérision. C'était la moitié de la partie de gagnée !

— Vous pesez combien ? demanda-t-elle.

— Je ne me pèse jamais. Les chiffres m'angoissent. Et les livres me permettent de bien vivre. C'est une blague : je travaille dans une bibliothèque.

— Ce n'est pas une si mauvaise idée, Sylvie. Quand on se pèse trop souvent, on attrape le syndrome du pèse-personne. Vaut mieux se fier à notre bon vieux pantalon. S'il a tendance à nous étouffer, c'est que les kilos se sont emparés de notre taille. Parlez-moi de votre santé générale.

Mary-Ann saisit le dossier de sa nouvelle patiente, prit le temps d'inscrire ses coordonnées et quelques notes dans la partie Commentaires.

— De quoi est composée votre diète quotidienne ? Pain ? Pâtes ? Gras ?

— Je mange mal. Au travail, j'apporte des restes : spaghetti, pâté chinois, sandwiches.

— Boissons gazeuses ? Jus de fruits ? Vous buvez du café ?

— De deux à cinq par jour.

— Sucre et lait ?

— Deux sucres, répondit Sylvie, les yeux abaissés par la honte.

— Cinq cafés avec deux sucres chacun, ça fait dix cuillérées de sucre. Vous avez là plus que votre part de sucre par jour. J'arrête ici mon interrogatoire, Sylvie. Une diététiste va vous rencontrer après notre entretien. Vous me suivez dans la salle d'examen. Quand vous aurez terminé, vous m'appelez, ça va ?

— Quand j'aurai terminé quoi ? demanda Sylvie en craignant le pire.

— Vous enfilerez la jaquette. Retirez tous vos vêtements.

Devant l'air ahuri de sa patiente, Mary-Ann Flanders ajouta :

— Je ne peux pas vous examiner à travers vos vêtements, qu'est-ce que vous en pensez ?

Sylvie Nadon se rendit derrière le paravent où d'innombrables crochets en laiton ouvragé avaient été prévus pour y accrocher les vêtements, ainsi qu'une jolie tablette profonde, pour y déposer les sous-vêtements et les chaussures. Au-dessus de la tablette, une petite affiche annonçait : *Déjà ça de moins !* Sylvie Nadon éclata de rire.

Derrière son bureau acheté chez IKEA, Mary-Ann pensait au nombre important de malades qui n'allaient pas consulter un docteur parce qu'ils étaient trop prudes. Montrer ses fesses et sa poitrine à un médecin n'était pas une tâche facile pour tout le monde. « Pensez qu'il y a un nombre assez particulier de gens qui gagnent leur vie à ce faire », avait dit le professeur Sigouin pendant son stage en gynécologie. Elle riait encore à l'évocation de ce souvenir quand elle entendit Sylvie susurrer : « je suis prête ! »

La docteure Flanders fit un examen complet — un examen qui visitait toutes les parties du corps, incluant les différents orifices, et qui ne plaisait pas à sa patiente. Sa tension artérielle était de 200 sur 116.

— Calmez-vous, Sylvie. C'est presque terminé.

Sylvie se rhabilla. « J'ai pourtant pas eu de misère avec mes bas-culottes, ce matin », songea-t-elle. Elle les enfouit discrètement dans son sac à main.

Quand elle revint s'asseoir, la docteure reprit sa tension artérielle. Cette fois, elle était presque normale. Mary-Ann inscrivit : *nervosité et gêne qui font monter la pression.*

— Bon, ma belle Sylvie. Tout est beau, mais vous pesez quatre-vingt-dix-neuf kilos. On va travailler ensemble pour descendre au poids que vous aurez décidé d'atteindre.

— C'est moi qui décide ? s'emballa Sylvie.

— Il y a des gens qui sont bien avec des kilos en trop. À vous de choisir. Vous avez cinquante livres à perdre selon la décision du *boss* de la santé. À vous de décider. Vous allez vous rendre au bureau cinq. La diététiste va vous rencontrer. Ça va ? Et n'oubliez pas : je suis bonne, je suis belle et j'ai pris la bonne décision ! Dites-le cent fois par jour !

En effet, Mary-Ann se disait que Sylvie devait être une très belle femme avant d'avoir accueilli tous ces kilos en trop. Son ex-blonde Isabel avait une taille de guêpe et s'était avérée être une tête de linotte et une amante infidèle. Elle pensa à Mathieu Crevier et se rappela combien elle avait eu, elle aussi, le cœur chaviré quand elle avait dû se battre pour voir son fils Amadeus. Couple hétéro ou homosexuel, quand il s'agissait d'enfants nés de l'insémination artificielle, l'attachement était le même et les contraintes tout aussi cruelles. Oui, Sylvie Nadon était très jolie.

2

Jamais un tel bien-être n'aurait effleuré l'esprit de Fabienne Lanthier. Son père lui avait toujours rabâché que le bonheur était un concept éthéré, sans consistance et résolument inaccessible ; tandis que sa mère, elle, prétendait que la vie pouvait comporter des milliers de petits bonheurs qui rassérènent. De petits lampions dans une nuit d'encre. Sa mère tenait cela d'une tante religieuse, sœur Saint-Félix-de-Valois, qui avait trouvé sa félicité au sein de la congrégation des Sœurs des Saints Noms de Jésus et de Marie de Montréal. Richard prétendait que la tante Cécile avait trouvé la paix en n'ayant pas ainsi à s'embarrasser d'un mari et d'enfants, ô souillure ! Il disait que les religieuses étaient des femmes égocentriques qui préféraient se faire servir par leurs compagnes, les sœurs converses, et se confesser à de jeunes prêtres pour des petits péchés véniels, leurs aveux étant le pendant de la psychothérapie. Ces considérations faisaient réagir Fabienne et avaient achevé de la convaincre que ses parents n'étaient pas faits l'un pour l'autre.

Benoît, lui, était le conjoint idéal et son attachement pour le petit Emmanuel rendait Fabienne presque envieuse. À la clinique, on avait accueilli la nouvelle avec enthousiasme, même si les docteurs Crevier et O'Brien n'avaient pas paru surpris.

— Ils sont le complément l'un de l'autre, dit alors Mélissa. Si on regarde leur complémentarité scientifiquement, comme un œil et son orbite.

— Il faut quand même avouer que, sur bien des plans, ils sont très loin d'avoir des affinités, ajouta Jeanne en riant.

— Ils ont désormais un point commun : Emmanuel, répliqua Mélissa.

— Benoît a changé depuis l'université. Jamais il n'aurait accepté l'enfant d'un autre, affirma Mathieu.

— Moi, j'aime l'enfant d'une autre. Roselyne est devenue ma fille et je l'aime comme si elle était la mienne ! s'énerva Mélissa.

— Tant qu'à ça ! souffla Jeanne en attrapant le dossier d'une patiente qui attendait depuis une heure dans la salle d'attente.

Fabienne semblait vivre l'existence dont elle avait toujours rêvé. C'est Richard, son père, qui serait heureux d'apprendre la nouvelle, lui qui avait toujours voulu pour sa fille qu'elle tienne le haut de l'échelle de la société. L'épisode Pierre-André Caron avait titillé son orgueil durant plusieurs années et il ne se serait jamais vanté du fait que son « gendre » était accusé de meurtres multiples. Il regardait vivre sa fille et n'arrivait pas à accepter qu'elle ait une existence aussi banale alors que, mariée à un grand spécialiste, elle aurait eu sa place dans la ploutocratie québécoise.

Benoît Raymond passait de plus en plus de temps chez Fabienne et Emmanuel le considérait comme le symbole paternel inébranlable dans sa vie de petit garçon heureux.

Ce jour-là, ils venaient de sortir de table quand le téléphone sonna. Il s'écoula presque une longue minute de silence avant que Fabienne finisse par réagir.

— Mon pauvre Monsieur Baugniez ! Je vais voir ce que je peux faire (…) Oui, il est ici. Je pourrais y aller (…) Allons, prenez sur vous ! Elle n'a pas souffert, m'avez-vous dit. Attendez ! Venez donc à la maison. Je suis au 13 245, oui. Juste à côté de la Ferme Saint-Lazare. Juste à côté. (…) Vous me brisez le cœur. Respirez comme je vous l'ai montré. Je vous attends (…) Oui, on était rendus au café au lait. On vous attend, Rodolphe (…) Oui, la vie est cruelle, Monsieur Baugniez. Très cruelle.

Elle essuya une grosse larme qui patientait au bord de ses cils, puis Benoît vint la prendre dans ses bras.

— C'est sa femme ? Elle est… décédée ? murmura Benoît.

— Il n'arrête pas de pleurer et de dire : « C'est la deuxième femme que j'aime qui meurt ! » Ça m'arrache le cœur, Ben !

— Tu l'as invité ici ?

— Il ne voulait pas que j'aille chez lui. Il disait que j'étais trop occupée et je sais que de voir Emmanuel va le rasséréner. Je le connais, il ne sera pas ici longtemps. Juste venir puiser un peu d'encouragement et d'amour de sa belle docteure, comme il dit toujours.

— Eh, oh ! C'est ma belle docteure à moi, tu sauras ! rectifia vivement Benoît.

Il souleva Emmanuel avec toute l'affection du monde, puis lui débarbouilla la figure et les mains avant de le porter dans sa chambre.

— Où vas-tu ? lui demanda Fabienne.

— Nous allons te laisser avec ton vieil Hercule Poirot. Je vais emmener Emmanuel chez Mélissa et Pierre. J'ai des choses à discuter avec Pierre. Manu va jouer avec Roselyne. Je ne serai pas absent longtemps, il faut le coucher tôt, le petit pou. Je vais changer sa couche avant de partir. On y va, mon gros poulet ?

lança Benoît à Emmanuel avant de le lancer vers le plafond.

Fabienne sortit de sa tristesse quand elle entendit les petits rires suraigus de son fils. Quotidiennement, elle se plaisait à se rappeler les circonstances qui avaient poussé Benoît à vouloir lui offrir une famille constituée d'un papa, d'une maman et d'un petit garçon qui se développait harmonieusement. Benoît était tellement affectueux, et plus elle le côtoyait, plus elle découvrait en lui toutes les qualités qu'elle avait toujours souhaité voir chez un amant. Le soir, dès qu'Emmanuel dormait, Fabienne s'engouffrait dans la douche et attendait que Benoît vienne la retrouver pour offrir à leurs corps des courants de chaleur, des effluves de savon de Castille, des attouchements éro-tiques les préparant à des ébats sauvages, saccadés, tumultueux. Les rires succédaient aux halètements. La sueur reprenait sa domination caractéristique. Benoît oubliait tout tandis que Fabienne espérait que jamais son fils ne s'aperçoive de quoi que ce soit. Elle, elle n'avait jamais oublié le soir où elle était entrée dans la chambre de ses parents alors que sa mère jouissait bruyamment sous les mains expertes de Richard. La jeune élève avait raconté à son enseignante, au lende-main de cette nuit active, que son père faisait mal à sa mère puisqu'elle pleurait et se plaignait de douleur ! Dolorès avait été très embarrassée après avoir appris l'affaire de la bouche même de sa fille, quand elle avait dû aller rencontrer mademoiselle Lortie pour la remise du bulletin.

L'amour de Fabienne pour Benoît croissait à la vitesse d'un lierre. Un sentiment noble qui effaçait au fur et à mesure les souvenirs âcres de sa vie avec Pierre-André Caron. Benoît était aussi clair que de l'eau de roche. Jamais ne lui avait-il menti, jamais n'avait-il manqué à une seule promesse, jamais ne pensait-il d'abord à sa petite personne. Le plus grand altruiste qu'elle ait jamais rencontré, en fait ! Mais Fabienne portait en elle une crainte irrépressible, celle d'être trahie ou que la mort la sépare de son nouvel amour.

***

Monsieur Baugniez faisait pitié à voir. Elle lui ouvrit la porte et il lui tomba dans les bras en pleurant. Fabienne sentit même sa blouse se mouiller à hauteur de sa poitrine. Elle le garda ainsi, pressé contre elle, ayant l'impression qu'il y demeurerait pour toujours.

— Monsieur Baugniez, je vous en prie, venez vous asseoir. Venez à la cuisine, je vais vous préparer une tisane. Tenez, prenez un mouchoir.

— Non, ça va. J'ai mon petit mouchoir dans ma poche, dit-il avant de déplier un tissu carreauté juste un peu plus petit qu'un drap. Une main experte y avait brodé un R. Il s'essuya les yeux, se moucha, l'enfouit péniblement dans la poche intérieure de sa veste.

— Ça va aller ? demanda Fabienne en lui prenant la main avec tendresse.

— C'est trop difficile, ma docteure Lanthier. J'ai aimé deux femmes dans ma vie et les deux m'ont abandonné de manière définitive, comme on dirait. Laura et moi étions heureux ensemble. J'avais de nouveau l'impression d'être important pour quelqu'un. J'avais mes petites habitudes : tous les matins, je lui faisais son petit déjeuner, deux toasts beurrées — jamais de margarine pour ma femme, elle disait que seul le beurre était un aliment sain —, un petit bol de confiture — jamais elle n'acceptait de miettes de pain dans le pot —, de la belle vaisselle du dimanche, parce que les jours de fête nous étaient comptés. Laura avait apporté le Limoges de sa grand-mère, des dizaines de petits plats pour tous les usages. Ça faisait mon affaire, puisque la guerre nous avait dessaisis de toute la porcelaine de ma mère. À Laura et à moi, ça nous plaisait de mettre les petits plats dans les grands. On buvait du jus de fruits dans des coupes de cristal, on se servait d'ustensiles en argent, on mettait toujours une nappe damassée, taffetas sur fond de satin, et je revois sa petite main blanche passer et repasser sur les plis du tissu avant de mettre la table. Tous les jours sans exception. Laura disait que nous vivions à la bourgeoise et cela me faisait rire. Elle m'appelait Lord Baugnière en me servant un jus d'orange dans une coupe à champagne, vous imaginez ? Depuis que Suzanne et Louis Doucet ont contribué à nous réunir, Laura les invitait à la maison, elle qui n'avait plus offert de réception depuis la mort de son premier mari. Elle disait qu'elle n'avait plus le courage de fricoter des petits plats dignes de ses talents de cuisinière. Quand elle a connu Angèle, Louisa et Delphine, elle s'est tellement attachée aux trois filles des Doucet, qu'elle s'est mise à vouloir leur enseigner son art de recevoir. Suzanne adorait Laura. Et elle m'aimait bien aussi. Je vous le dis, ce programme *Adoptez un vieil ami* est l'idée du siècle. Il libère les vieux de leur solitude et, en leur offrant une nouvelle famille, les remet en piste.

— Les avez-vous informés de... du départ de Laura ?

— Pas encore, Fabienne. Pas encore. Des nouvelles aussi sérieuses doivent prendre leur temps avant d'être révélées. Laura est partie hier. Je vais d'abord trouver le ton avant d'en avertir nos proches.

— Les Doucet sont devenus vos proches ?

— Mais bien sûr ! Ils se sont occupés de nous. Les trois filles avaient besoin de bons grands-parents comme nous. Ils nous ont invités au bal des finissants de Delphine. C'est moi qui ai été invité à lui remettre son diplôme de fin du secondaire. Oh, elle avait le visage illuminé, la Delphine. Elle m'a présenté comme son grand-père adoptif, figurez-vous !

Fabienne souriait. Rodolphe Baugniez lui avait raconté au moins dix fois tous les moments précieux de sa vie avec Laura. Au cabinet comme lors des visites de Fabienne dans la maison du couple, où elle était reçue chaque fois comme leur fille, il radotait de délicieux souvenirs. Laura était atteinte de MPOC et sa maladie l'empêchait d'être aussi énergique qu'avant. Elle était suivie de près par la cardiologue Élise Poulhiot-Mayrand à la clinique Valrose. Élise avait suggéré à Fabienne de laisser Laura vivre ses derniers moments sans médication, sans régime alimentaire sévère, sans restriction aucune. « Il lui reste peu de temps, avait-elle dit. Qu'elle le passe librement. »

Laura n'avait pas souffert. Son cœur s'était arrêté comme un pendule au bout de son ressort. Monsieur Baugniez était inconsolable.

— Aimeriez-vous prendre des médicaments pour soulager votre anxiété, monsieur Baugniez ?

— Pour me réveiller ensuite face à la réalité ? Non, non, non ! Vous savez, ma docteure, bien des vieilles personnes n'ont pas le goût de reprendre la vie. « Arrêtez la Terre de tourner, je veux en descendre », qu'on disait par chez nous. Je descends. On peut descendre lorsqu'on le veut, il suffit d'arrêter d'avaler les pilules qui nous gardent vivants. Mon beau-frère avait un cancer et il a accumulé toutes les pilules dans le fond de sa chaussette pendant trois mois. Un soir, il a viré sa chaussette sens dessus dessous, il les a toutes avalées en une seule fois. Une centaine de pilules de toutes les couleurs comme des *Smarties*. Il les a toutes avalées. Il s'est endormi en même pas une heure. Serein. Il souriait quand l'infirmière l'a retrouvé. Il avait pris le temps de se laver la figure, de se coiffer, de se curer les ongles. C'était un sacré fier-pet, mon beau-frère. Il est parti comme un coup de vent. Il a été enterré au Père-Lachaise. Tout près d'Yves Montand, sur le Chemin du Quinconce. Ainsi, il a eu l'impression d'être un grand homme.

— Oh, il n'y a pas de Père-Lachaise au Québec. Pas de cimetière pour les grands hommes et les grandes actrices.

— Je sais. Au Québec, les grands comme les inconnus sont tous enterrés ensemble. Pas de favoritisme dans ce pays. C'est le pays de l'égalité. Truands et grands politiciens, tous dans le même charnier. Mais je vous assure que Laura aura une place choisie, sous un saule pleureur pour lui rappeler mon attachement pour l'éternité. Je vous le jure.

Monsieur Baugniez semblait consolé. Il accepta une tasse de tisane et même quelques biscuits. Il raconta pour la vingtième fois ses après-midis de sieste, aux côtés de Laura, accordant sa respiration sur la sienne, jusqu'à l'atteinte du bienheureux sommeil d'après-midi. Ses embardées chez Guillet, à deux kilomètres de chez lui, pour aller chercher les petits fours que Laura aimait, son café belge qu'elle préférait entre tous « aussi éloigné du café Tim Hortons que les petits gâteaux Élizabeth le sont des petits gâteaux Vachon ». Laura Poirier avait fait de son Rodolphe un sybarite notoire, un hédoniste impayable. Hercule Poirot sous le joug de sa Miss Marple.

— On va appeler les Doucet, vous voulez bien ? Je vais vous aider à leur annoncer la triste nouvelle, proposa Fabienne.

Elle composa le numéro pour lui. C'est Louisa qui répondit. Il demanda à parler à Suzanne, sa mère. Il prit une voix protocolaire pour lui dire laconiquement :

— Laura nous a quittés, Suzanne.

Fabienne entendit des éclats de voix suivis de pleurs, d'autres voix qui se joignaient à celle de Suzanne, d'autres larmes gagnant Rodolphe qui se remit à geindre. Accolades, tapotements de tendresse, sanglots, phrases étouffées sur l'épaule de Fabienne Lanthier. Il partit trente minutes plus tard en taxi avec la promesse de rappeler Fabienne le lendemain.

Elle se mit à avoir hâte que Benoît revienne avec le petit. Elle craignait soudain qu'il soit arrivé quelque chose de grave. Elle songea même à téléphoner à Benoît pour savoir où il en était quand elle entendit sonner.

Une figure souriante lui apparut quand elle ouvrit la porte. Une voix avec un accent qu'elle connaissait bien lui demanda :

— Vous êtes Fabienne Lanthier ?

C'était un homme rondouillard, à la peau très cuivrée, au sourire éclaboussant de lumière. Un de ces gentils citoyens d'Haïti qui avait visiblement reçu le mandat de lui apporter une lettre exagérément bourrée de multiples pages, sans timbres, ni adresse du destinataire. Au centre, la personne avait inscrit : *À la docteure Lanthier*. L'homme tenait un bout de papier sur lequel on lui avait écrit l'adresse de Fabienne.

— Je m'appelle Sévère Toumalin. Mon frère, qui est de Port-au-Prince, m'a demandé de vous poster cette lettre une fois revenu à Montréal. Comme j'habite à quelques rues d'ici, j'ai préféré venir vous la porter en personne. Je voulais être certain que vous la receviez. J'avais peur de me tromper d'adresse.

— Merci ! lança Fabienne en expédiant son interlocuteur avec froideur.

Elle referma la porte aussitôt parce qu'elle savait qui était l'auteur de cette missive. Et cela brisait sa quiétude. Ramenait ses vieux démons qu'elle croyait disparus à jamais.

Elle n'ouvrit pas l'enveloppe. Elle réfléchissait. Allait-elle lire la lettre ? Allait-elle plutôt la brûler sans même l'avoir lue ? Des centaines d'images brouillaient ses pensées. Qu'allait dire Benoît ?

Vers vingt heures trente, il entra avec, dans ses bras, le petit Emmanuel endormi. Fabienne souleva son fils en lui bécotant le front, espérant aller le mettre au lit sans qu'il s'éveille. Elle voulait lire la lettre de Pierre-André Caron en présence de Benoît. Par honnêteté d'abord, mais aussi pour avoir son avis sur la suite des choses. Qu'allait-elle faire si Pierre-André lui annonçait son retour au Québec ? Comment pourrait-elle lui faire accepter sa nouvelle relation avec le docteur Raymond ? Et, surtout, comment pourrait-elle éviter qu'il demande la garde partagée ? Et si Benoît se vexait au point de la quitter ?

— Comment va la plus belle femme au monde ? demanda-t-il en l'embrassant dans le cou.

— Je vais bien. Et ton frère ? Toujours aussi heureux ? Comment a-t-il trouvé Emmanuel ?

— Il dit qu'on devrait le faire baptiser pour qu'il soit le parrain.

— Il croit que tu es le père ?

— Il connaît la vérité. S'il était mon fils, il aurait fallu que je trompe Béatrice en plein pendant notre lune de miel. Non, il le sait. Et il l'accepte. Mélissa et

Pierre ont bien adopté Roselyne. Elle n'est pas baptisée non plus.

— Ce n'est plus la mode de faire baptiser les enfants. Emmanuel décidera plus tard à quel groupe religieux il voudra adhérer. Ce sera alors un choix éclairé. Toi et moi, on a été embarqués dans la religion catholique quand on avait quelques semaines à peine. Si c'était à recommencer, mes parents ne me feraient pas baptiser.

— Surtout qu'ils contreviennent eux-mêmes à tous les commandements de l'Église. Divorcés, relations hors mariage, invoquer le nom de Dieu, convoiter le bien du voisin...

— Que tu es vilain, Benoît Raymond! lui lança-t-elle en riant.

Une fois la couche changée, le pyjama enfilé et Emmanuel endormi, elle se rendit au salon où l'attendait un thé vert au citron que lui avait préparé son amoureux.

— Qu'est-ce que tu as, ma douce?

— Je n'ai rien du tout.

— Tu as tes yeux sombres des jours de tempête. Quelque chose te chicote, Fab!

— Un homme est venu me porter une lettre quand tu étais chez ton frère.

— Qui c'était?

— Un Haïtien. Avec un drôle de nom : Sévère Toumalin.

— Ils sont tellement sympathiques. Ceux qui viennent à mon bureau sont toujours de bonne humeur et ont une si grande foi en leur docteur ! Et ils écoutent et suivent toutes mes recommandations. Pas comme Arthur Savage qui fume encore après un diagnostic de cancer du poumon. Bien des patients ne respectent pas nos conseils même si leurs mauvaises habitudes peuvent les mener au cimetière. En passant, ma chérie, savais-tu que Jean Baudoin, le représentant pharmaceutique de Jeanne Beaulieu, se distingue dans l'art du vapotage ? Ses cigarettes électroniques lui font faire des affaires d'or malgré les avertissements de l'Association pulmonaire du Québec ! Il y a parfois des files d'attente devant son local. Les docteurs de Valrose recommandent les vapoteuses à tous leurs patients fumeurs qui aimeraient arrêter. J'aime cent fois mieux...

— Benoît... susurra Fabienne.

— ... que les patients utilisent la cigarette électronique pour, finalement, ne plus fumer de tabac. Qu'est-ce que tu en penses, Fabienne ? Tu m'écoutes, dis ?

— C'est toi qui ne m'écoutes pas. J'essaie de te dire quelque chose depuis que tu es revenu. Tu m'as toujours dit : « Être à l'écoute l'un de l'autre, c'est ça, l'amour. »

Fabienne semblait tourmentée.

— Fabienne, que se passe-t-il ? C'est Emmanuel ? Non, ton père ne va pas bien ! Attends… le bateau de ta mère a coulé dans le Triangle des Bermudes !

— Arrête ! C'est la lettre que j'ai reçue. Tu ne te doutes pas de qui me l'a envoyée même si tu apprends que c'est un Haïtien qui est venu me la porter en main propre ?

Ce fut au tour de Benoît de se sentir très inquiet.

— Non ? Une lettre de Pierre-André Caron ? Fais pas chier !

— Sois poli, Benoît Raymond !

— Tu… tu l'as lue ?

— J'attendais que tu sois là. Même si je sais qu'il y aura des passages qui vont te troubler. J'ai besoin de la lire avec toi. J'ai tellement peur qu'il demande la garde d'Emmanuel.

Benoît posa sa main sur son visage. En deux secondes, il réalisa tout ce que cette lettre pouvait signifier pour sa relation avec Fabienne, pour la petite famille qu'il était en train de fonder avec celle qui était devenue la personne la plus importante dans sa vie. Pierre-André avait des droits paternels sur son fils, songea-t-il… et ce type était fort sympathique, en plus. C'est vrai qu'il avait tellement de plaisir, autrefois, à discuter avec le docteur Caron. Mais à cause de tout ce que ce dernier avait fait à sa Fabienne, il le détestait soudainement et voulait qu'il ne revienne plus jamais auprès d'elle et d'Emmanuel.

Elle décacheta l'enveloppe faite de papier de mauvaise qualité et, instinctivement, elle y posa les narines et inspira.

— Ça ne sent pas le parfum. Ça sent... la canne à sucre brûlée comme dans tout Haïti.

Elle déplia la lettre qui contenait cinq pages de mots bien tassés. Elle prit place en se caparaçonnant les épaules sous un jeté de mohair et se colla sur Benoît pour qu'il lise en même temps qu'elle.

« Chère Fabienne

Tel un halo de lumière froide, je tente de pénétrer discrètement dans ton cœur en espérant que, d'abord, tu reçoives cette lettre (tu comprendras qu'il n'y a pas Internet en ces lieux) qui sera sans doute la dernière, et que tu acceptes de la lire.

Il y a tant de va-et-vient dans la capitale, tant de visiteurs haïtiens revenus constater l'« après-séisme » que je trouverai, en échange d'une cinquantaine de dollars américains, un citoyen compréhensif pour te poster cette lettre à Montréal même.

Les corridors étroits de cette prison à sécurité maximum sont noirs de monde, comme on dit chez nous. Nous sommes trois Blancs qui vivons ici en captivité. Les deux autres s'appellent Pierrot Chatoyer et Marcel Loriot. Deux bons loustics qui mettent de la vie dans cet endroit humide d'où disparaît, chaque semaine, une demi-douzaine de prisonniers haïtiens. Personne ne sait où ils sont passés. Certains disent, en roulant des yeux troublés, qu'ils ont été noyés dans la cave du centre de détention ou exécutés à la machette durant une nuit de pleine lune.

Pierrot Chatoyer, un journaliste français, s'est introduit dans le Palais présidentiel par hasard quelques jours avant le séisme. Quand on connaît l'attirance des Haïtiens pour les grigris et les incantations vaudouïsantes et qu'on présume d'une naïveté légendaire, on peut aisément accepter que le séisme de 2010 puisse avoir été causé par un Blanc s'introduisant dans les cuisines du Palais présidentiel pour le compte de son employeur.

L'autre, Marcel Loriot, a cédé aux effluves pimentés d'une très jeune fille qui lui a fait croire qu'elle avait dix-sept ans en omettant de dire qu'elle était la fille du chef de la police.

Mes amis ont été condamnés à perpétuité. Il n'y a pas de procès pour les natifs, mais il y en a parfois pour les coupables étrangers à la condition que le consulat en soit informé. Tout ici est tractations, pots-de-vin, amitiés politiques ou particulières.

Tu comprendras sans doute dans quel pays étrange je me suis échoué. On nous sert deux repas par jour que nous partageons avec la vermine. Il y a aussi des combats cruels entre deux griots pour un plat infect de cabri à la créole.

J'ai compris que j'avais un statut particulier. En Haïti, plus qu'au Canada, les médecins sont vénérés. Aucun de mes camarades n'arrive à comprendre pourquoi on m'a foutu en taule pour avoir posé des gestes qui, selon eux, ont sauvé des milliers d'enfants américains ! Tu dois savoir que je souhaiterais n'avoir jamais étudié la médecine dans l'armée. N'avoir pas rencontré Angelot Vilton. Ne jamais être entré dans ton cabinet à la clinique Valrose ce jour où je cherchais un endroit où travailler.

Je rêve très souvent. Je nous vois marchant sur la plage aux Îles-de-la-Madeleine, puis je revois ton ventre rebondi où grandissait notre fils, à chacune de tes visites à Port-au-Prince. Mais je fais aussi d'horribles cauchemars. Frankenstein arrache à notre fils ses organes vitaux et me les place devant les yeux avec un sourire satanique tandis qu'un petit garçon fixe mon regard en me disant : « Méchant papa ! » et je me réveille en pleurant chaque fois. L'œil de Caïn. Mon *fils me suit inlassablement, partout où je me trouve, me rappelant sans gêne tout le mal que j'ai fait.*

Je paye pour mes fautes, Fabienne.

Il y a un aumônier dans notre prison. Un gros baquet aux traits négroïdes nettement exagérés qui ne fait pas un pas sans tenir Dieu par la main pour nous le servir à la sauce antillaise, grand, démesuré, inextinguible. Le père Morissot possède la liberté et pourtant, il passe les trois-quarts de ses journées en prison. Preuve que la détention est un concept qui réside surtout entre les deux oreilles. Il dit que j'ai menti. Il jure que je n'ai rien fait de mal. Il fait tout en son pouvoir pour qu'on me libère. Il prie pour moi tous les jours. Moi, je ne veux pas sortir, Fabienne. Je veux expier jusqu'à la fin. Le père Morissot ne me croit pas. Il demande à Dieu de me réveiller. Sottise !

Même derrière les grilles de fer, la lenteur a pris sa place. Une lenteur faisant partie d'une procession lourde qui nous mène tous à la cafétéria où règne une odeur caractéristique de sueur, de peau humide, de pisse et celle, plus cruelle encore, de la maladie. Une entente avec le Canada me donne le droit de prendre une douche chaque fois que j'en éprouve le besoin. Une pluie fine et froide qui fait un bien immense, surtout quand les femmes bénévoles viennent porter des savonnettes artisanales faites de gras de chèvre qu'embaume le vétiver si odorant.

Je crois, quand j'observe mes pauvres compa-
gnons d'infortune privés de se laver, que c'est la pire
des déchéances. On fuit littéralement ceux qui exhalent
des effluves nauséabonds causés par les escarres, les
vestiges de la transpiration quotidienne, les infections
à mycose, l'eczéma. Les cellules disposent, depuis que
les Américains s'en sont mêlés, de l'accès à l'eau à
demi-potable versée dans une bassine de granit écaillé,
agrémentée une fois par mois de paillettes de savon,
ce, grâce à une collecte de vieilles savonnettes usées
parmi le peuple.

Tout pour que meurent au plus vite ces prison-
niers qui ont brisé le rythme d'une société si infantili-
sée que seul l'attachement à des dieux tout aussi naïfs
leur permet de survivre.

Le père Morissot contribue à leur mort, selon moi.
Parce qu'il leur répète ad nauseam que l'emprisonne-
ment est comme le dieu du Mal, ce qui les maintient
dans leur carcan religieux.

Chaque jour, des gardes quittent la prison avec un
mort, enroulé dans une bâche de coton huilé. Souvent,
c'est la puanteur qui se dégage du corps, décédé depuis
plusieurs jours, qui nous informe de ce qui se passe.

Moi, je suis privilégié. Je peux à loisir entrevoir
qu'un jour, je serai libéré, sachant que quelques cen-
taines de dollars américains les feraient fléchir. Le
principal est que le pot-de-vin réussisse à voyager de

la banque jusqu'au directeur de la prison pour le pervertir.

Ce matin, par le grillage de ma cellule, j'ai aperçu une jolie petite négrillonne qui tirait derrière elle une ânesse, tellement basse sur ses pattes que l'enfant la dépassait d'une tête. Elle avait posé sur le crâne de la bourrique une tresse de fleurs si coriaces qu'elles lui tenaient lieu de couronne d'épines. Ses flancs se touchaient sous son abdomen. Un vagabond lui a offert une mangue talée aussi vide de chair qu'un vieil os cent fois partagé. La bête s'est immobilisée et la petite fille s'obstinait à tirer sur la corde qui avait fini par creuser sa place autour du cou de l'ânesse. Elle lui criait : « Viens donc ! Tu sais que maman va nous battre ! »

J'observais la scène avec attendrissement. J'ai alors compris pourquoi j'étais encore dans cette prison et que j'arrivais à y survivre alors qu'il en mourait tant chaque semaine. Les Haïtiens avaient du respect pour moi comme ce vieillard avait eu pitié de la bourrique en lui offrant un fruit, même à moitié séché.

La petite fille et l'ânesse savaient qu'elles seraient battues dès leur retour à la maison si elles ne se hâtaient pas, mais l'enfant tirait quand même sur la corde qui s'enfonçait davantage dans le pelage de la bête. Même quand les Haïtiens savent que c'est la déchéance qui leur pend au bout du nez, ils continuent à avancer, à gruger le noyau de la mangue et à espérer le respect des autres.

Je ferme les yeux et j'imagine cent Haïtiens qui tirent cent bourriques à l'aide d'un câble usé et cent soleils qui les attendent au bout de leur insouciance.

Tu vois, Fabienne, me voici devenu poète en captivité. J'observe la vie qui grouille de l'autre côté de ma cellule ou derrière les barbelés de la cour et j'imagine ce que serait le libre mouvement de mes pieds sur l'asphalte fumant des rayons du soleil. J'entends la voix de Pierrot qui me convie à une partie de bésigue sur une des tables rongées par la rouille sous le préau. Nous allons nous raconter des balivernes, de celles qui nous aident à vivre. Évidemment que les trois Blancs forment un petit cercle d'inséparables. On nous respecte pour ça. Je leur ai tout raconté, comme un conte lent et plein de rebondissements. Mes amis te connaissent, Fabienne. Ils savent tout de moi, la clinique Valrose, nos amours, l'armée, Clifford qui est mort sur le traversier des Îles-de-la-Madeleine. Ils connaissent Éléonore, et même notre concierge Toni Cavarelli, puis Jeanne Beaulieu. Un roman télévisé, narré par petits épisodes, qui les aide à survivre eux aussi.

Si tu veux encore secourir un prisonnier enfermé dans une taule cruelle de Port-au-Prince, envoie-moi seulement quelques romans pour que je conserve mon pouvoir d'imaginer. J'aime bien les romans de Claude

Jasmin, ceux de François Désalliers, la poésie folle de Jean-Paul Daoust, mais tu peux aussi regarder du côté des Français. Laurent Gaudé, Colette, et surtout les livres de Romain Gary. Je te laisse choisir pour moi. La lecture me permet de garder la tête hors de l'eau, et d'affûter mon imaginaire. Ça plaît bien aux gars.

Ainsi, je te dis vraiment adieu. Et je te remercie de conserver juste un œil ouvert sur les propos d'un prisonnier blanc parmi une mer de Noirs qui, finalement, n'ont rien fait de mal si je compare mes larcins avec les leurs.

Fais-le au moins pour eux en répandant la mauvaise nouvelle de leur détention sordide.

Pierre-André Caron M.D.

Fabienne replia la lettre et se rendit compte que, sans même le vouloir, ses yeux s'étaient remplis de larmes. Elle était touchée jusqu'à la moelle, tout en sachant qu'elle n'éprouvait plus d'amour pour Pierre-André. Personne ne pouvait l'empêcher d'éprouver de la pitié pour un prisonnier de ce gouvernement intransigeant et assassin.

Benoît et elle demeurèrent silencieux un bon moment. Il respectait ses sentiments. Pour lui, cette lettre était tout sauf un discours cherchant à séduire. Il recevait une baffe chaque fois que Pierre-André Caron parlait de « son » fils Emmanuel, qu'il faisait renaître certains souvenirs partagés avec « sa » Fabienne, mais il n'avait pu demeurer inflexible devant le quotidien des prisonniers haïtiens, devant le réalisme des descriptions du docteur Caron qui soulevaient sa compassion. Comment expliquer qu'il était jaloux du passé de Fabienne malgré l'attendrissement que suscitait la lecture de cette lettre venue du plus profond de la misère ?

3

Le docteur Crevier débutait son quart de travail à la clinique d'obésité lorsqu'il vit arriver une femme d'une quarantaine d'années, qui tirait son fils par son écharpe en lui marmottant une litanie de remarques désobligeantes.

Bâti comme une armoire, le visage aussi rouge qu'un coquelicot, les cheveux détrempés sur la nuque, le garçon, patapouf comme pas un, devait vivre une existence misérable avec une mère aussi extravagante. Mathieu Crevier éprouvait une grande sollicitude pour ces enfants qui avaient un trop vaste appétit, la plupart du temps gavés par leur propre mère. Personne n'arrivait à offrir de la compréhension et de la tendresse à ces petits garçons, et à ces petites filles surtout, atteints de la pire des affections au monde : l'obésité.

Mathieu était convaincu que transmettre cette maladie mortelle à son enfant était un acte criminel, puisqu'il lui apparaissait évident qu'elle pouvait être évitée. Il était d'avis également que les écoles devaient enseigner l'équilibre alimentaire aux enfants dès leur jeune âge, puisqu'une saine alimentation pouvait les exempter de ces sobriquets cruels qui créent des blessures pour la vie. S'il avait été ministre de la Santé, il aurait exigé qu'il y ait trois fois plus d'éducation physique et que la paresse et même la douleur ne soient pas une raison valable pour une exemption de cours. Les parents, les mères surtout, étaient responsables de l'intimidation crasse dont leur enfant obèse était victime, eût-il le plus joli visage du monde! Les rares spécimens qu'il avait eu l'occasion de rencontrer depuis l'ouverture de la clinique d'obésité étaient terrorisés par leurs compagnons de classe, projetés sur le sol, ridiculisés, comparés à tout ce qui était rond; on les accusait de voler le goûter de leurs camarades ou de produire des odeurs désagréables; ils n'avaient aucun ami et, s'ils étaient de sexe masculin, on leur conseillait de porter un soutien-gorge.

Son jeune patient pleurait en entrant dans son cabinet. Mathieu Crevier se montra très accueillant et compatissant, puisqu'il s'agissait peut-être pour le garçon du début d'une nouvelle existence. Sur le dossier que lui avait remis Lisette St-Onge, la secrétaire de la clinique, il était écrit: Mathys-Alexandre Lalonde-

Comeau. « Trop de lettres dans le nom d'un enfant trop gros ! » songea le médecin.

Il pria la mère — qui allait devenir sa prochaine patiente, sans doute — de s'asseoir avec son fils sur les deux fauteuils agréablement surdimensionnés, placés en face de son bureau.

— Bonjour, Mathys-Alexandre. Bienvenue chez nous, dit-il.

— Mes amis et mes profs m'appellent Malex. C'est moins compliqué, répondit sèchement le garçon en découvrant les dents avec un certain dégoût.

Le médecin chercha du regard l'assentiment de madame Lalonde-Comeau qui lui sourit brièvement.

— Ah, ces jeunes-là ! À toujours rapetisser les mots qui leur semblent trop longs ! Je pense plutôt, ajouta-t-elle en s'adressant à son fils, qu'ils font ça pour être méchants. Celui qui s'appelle Mario Myre Moisan, est-ce qu'ils s'amusent à l'appeler Mamymo ? Docteur, mon Mathys-Alexandre est entouré de jeunes cruels, je vous le dis ! Et les enseignants ne font rien ! Même son enseignante ne le choisit jamais pour parler en avant. Je pense que même les profs peuvent faire de l'intimidation.

— Ah, oui ! Ça, c'est vrai ! trancha Mathys-Alexandre.

Mathieu Crevier souleva le formulaire vierge et se mit à griffonner quelques éléments d'une conversation qu'il jugeait très éloquente.

— Depuis sa quatrième année que j'essaie de l'emmener voir un médecin pour le faire maigrir, lança la mère avec rage. Môssieur est trop gêné, trop peureux, trop orgueilleux, comme son père. Il a peur des piqûres pour mourir ! C'est beau qu'il ait accepté de venir vous voir, Docteur Crevier.

Mathieu aurait aimé qu'elle cesse de parler, mais certains renseignements pour le moins pertinents lui semblaient indispensables. Il décida malgré tout de la congédier sur-le-champ.

— Vous pouvez attendre dans la salle d'à côté. Il y a des magazines spécialisés en alimentation. Vous allez ensuite pouvoir rencontrer la diététicienne de Mathys-Alexandre et lui poser toutes vos questions.

Mathieu, bouleversé, demeura seul avec le garçon. Calculant son âge à partir de l'empreinte de la carte d'assurance maladie, il apprit que Mathys-Alexandre avait 13 ans.

— Tu es au secondaire ? demanda le médecin.

— Ouaip ! Deuxième secondaire.

— C'est vrai ce que me dit ta mère ? Tu es victime d'intimidation ?

— Ouaip ! Je suis gros, Docteur. On a toujours pitié de ceux qui ont *quetchose* en moins, mais *full* pas de ceux qui ont *quetchose* en trop !

— Que veux-tu dire ?

— Y'en a dans ma classe qui ont pas de cervelle, mais les autres les admirent en masse. Y'a Raphaël qui lui manque un bras de naissance, et il est l'ami de tout le monde. Y'a Marie-Sophie qui a pas de cheveux à cause de ses traitements et elle est la présidente de la classe. Ceux à qui il manque *quetchose,* ils font pitié, ça va. Tout le monde le comprend. Moi, eh bien, vous voyez, à cause de ce que j'ai de trop, personne ne veut être mon ami. Ils disent que je sens mauvais et que je ne peux rien faire comme eux autres. Je suis exempté d'éducation physique. La semaine passée, le professeur d'éducation sociale et religieuse, il nous a montré un documentaire sur le suicide. Les filles braillaient toutes dans notre classe. Ben, pas moi ! Je trouvais que le garçon, Timothée, je pense, il a eu raison de vouloir se suicider.

— Pourquoi ça ? s'inquiéta le docteur Crevier.

— Je pense que quand tu déranges tout le monde dans ta vie, que tu vois pas comment faire pour entrer dans le moule, le suicide est la meilleure solution. Vous pensez pas que mourir quand on le décide est la seule liberté qu'on a, Docteur ? Je suis comme une grosse verrue qui a poussé sur la vie de mes parents, de mes profs et de mes compagnons de classe. C'est trop long, de maigrir. J'ai déjà essayé. Écrire tout ce que je mange dans un cahier, arrêter de manger les aliments que j'aime et qui me rassurent, me peser à toutes les semaines. Pis toutes ces personnes qui veulent me faire faire de la gymnastique alors qu'elles me trouvent laid en short et en T-shirt !

Mathieu écrivit :

Enfant de 13 ans suicidaire. Référer à un pédopsy-chiatre de l'Hôpital pour Enfants.

Le médecin n'était cependant pas certain qu'un psychiatre puisse arriver à convaincre Mathys-Alexandre à croire en la vie. Il estima plutôt que la réalité exposée par son jeune patient était la seule vraie. Quand il posa son regard sur le garçon, de longues larmes dévalaient sur son visage et venaient s'échouer sur son ventre rebondi. Et Mathieu en fut chagriné.

— Il faut que je te pèse. Acceptes-tu de monter sur le pèse-personne ?

— Je sais combien je pèse. Je pèse deux cent quatre-vingt-trois livres. Hier, c'est ce que je pesais.

— Il faut quand même que tu montes sur la balance. Je suis là pour t'aider. J'ai moi aussi un petit garçon et je comprends très bien ce que tu ressens, Mathys-Alexandre.

« J'ai moi aussi un petit garçon… » se répéta Mathieu comme pour se le rappeler une fois encore.

Mathys-Alexandre tint un long siège, emmuré dans un silence très lourd, fixant le mur vert derrière le docteur Crevier. Ses yeux roulaient dans les larmes. Puis, au bout de cinq longues minutes, le garçon monta sur le pèse-personne.

— Deux cent quatre-vingts, pile ! annonça le médecin.

— Ouaip ! J'ai déjà perdu trois livres ! Annoncez-ça à ma mère, surtout ! lança le garçon.

Mathys-Alexandre contourna son bureau et vint poser les yeux sur son dossier.

— Je voulais être sûr que vous ne vous étiez pas trompé !

Mathieu prit une autre feuille et écrivit :

Garçon de 13 ans et demi.

Poids initial : 280 livres

Très lucide.

Mathys-Alexandre Lalonde-Comeau a toutes les chances de réussir.

À surveiller : la mère.

Le médecin examina ensuite le jeune patient. Cœur, poumons, réflexes, abdomen, articulations, thyroïde, lui posa les questions d'usage, questionna ses habitudes alimentaires, et s'informa sur sa relation avec ses parents. Il semblait y avoir un « père compétent — enfant unique — foyer à revenus moyens. »

— Tu fais quand même un peu de sport, non ?

— Football, golf, baseball, judo, hockey... sur mon ordinateur! répondit Mathys-Alexandre avant d'éclater de rire.

Le garçon salua le médecin et, avant de se rendre au bureau de la diététicienne, il revint sur ses pas et fit une généreuse accolade à son docteur.

— Merci, Doc! Je vous promets d'essayer très fort.

Le docteur Crevier sourit. Son patient avait repris confiance en lui-même comme s'il venait de perdre cent livres d'un coup! Il savait qu'il avait désormais un ami qui allait prendre soin de lui.

* * *

L'avocate de Stéphanie avait laissé à Mathieu un long message stipulant que le juge avait décidé qu'il pouvait voir ses deux enfants en alternance, toutes les deux semaines.

— Si tout va bien, nous pourrions songer à une garde partagée, mais « madame » a refait sa vie et elle doit tenir compte de l'opinion et des disponibilités de son nouveau conjoint.

Mathieu se crispa et se mit à pleurer silencieusement. Il devait conclure que c'était terminé. Ses enfants ne seraient plus les siens. Il n'en serait que le gardien occasionnel. L'espoir, qui, il n'y a pas si longtemps était possible, venait de s'éteindre à jamais. Voir son fils sans sa petite sœur, et inversement, allait briser la notion de famille que Mathieu désirait. Il allait contester, bien sûr. Mais il avait décidé ne plus avoir à rencontrer Stéphanie. Il avait exigé que les enfants soient amenés à la clinique chacun son tour, et confiés à Jeanne à la réception. Comme un colis. Il conduirait chacun là où il lui demanderait d'aller. Les enfants préfèrent manger chez McDonald's plutôt qu'à la maison, c'est connu. Mathieu tâcherait de bien paraître à leurs yeux pour que les enfants parlent en bons termes de leur papa à Stéphanie. Monnaie d'échange. Si je t'offre des cadeaux, tu m'aimeras davantage. Plus question de conséquences, de punitions pour procéder à l'éducation de l'enfant. Au lieu de quoi, des tractations, du vil commerce, de la négociation. Il faut pouvoir s'assurer sa place dans cette relation familiale abîmée par deux parents immatures, incapables de s'éloigner avec discrétion. Mathieu était certain, pourtant, que lui et Stéphanie, c'était pour la vie. Mais voilà. Non seulement, leur relation s'était-elle étiolée, mais il fallait que Stéphanie en fasse une pièce de théâtre dans laquelle tous les personnages allaient obligatoirement souffrir autour du personnage principal.

* * *

— Tu vas bien, mon garçon? demanda Mathieu à Hubert qui semblait intimidé par son père.

— On avait une fête samedi avec Jade et Morris. Moi, je ne pouvais pas y aller, bougonna-t-il.

— Qui sont Jade et Morris?

— Les enfants du chum à maman, c't'affaire!

— Je ne savais pas.

Mathieu se tut pour finalement rajouter:

— C'est amusant d'avoir de nouveaux amis, pas vrai?

— Ce ne sont pas des amis, trancha Hubert. C'est mon demi-frère et ma demi-sœur, que m'a dit maman.

La poitrine de Mathieu se serra. L'étape incontournable venait de s'inscrire dans la vie de ses enfants. Une autre famille était née. Stéphanie avait précipité les choses. Avait brisé les liens qu'ils avaient tissés avec leurs deux enfants. Il songea à madame Latraverse qui devait brailler sa vie. À sa propre mère qui devait être convaincue que son fils avait échoué en comprenant que, bientôt, elle ne verrait plus ses petits-enfants. Il se rappela le nombre incalculable de patients qui perdaient ainsi leurs petits-enfants auxquels ils s'étaient tant attachés, à cause de la séparation de leur fils et de leur belle-fille. Quand un couple divorçait, il entraînait avec lui toute une petite société qui aurait du mal à s'en remettre. Les enfants surtout.

— Tu es content d'avoir un nouveau frère et une nouvelle petite sœur?

— Mon vrai petit frère, il est mort.

— Je sais, Hubert. Étienne n'avait pas le goût de vivre. Mais il te reste Zoé, non?

— Zoé, elle joue toujours avec Jade. Et Morris, il n'a que trois ans et demi. Il ne peut pas jouer avec moi.

— Qu'est-ce qui te ferait le plus plaisir, mon loup? demanda enfin Mathieu pour passer à un autre sujet.

— Que tu reviennes à la maison.

Mathieu fit un grand effort pour ne pas pleurer. Il prit son fils dans ses bras et le serra longuement sur sa poitrine. Hubert s'y blottit. Il ne voulait plus en sortir. Au bout d'une trentaine de minutes, le père et le fils entraient chez McDonald's, chagrinés et désemparés.

Le week-end se passa dans une parfaite indolence. Hubert ne demanda pas de jouet ni de sortie au cinéma, ni de repas au restaurant. Il joua aux petites voitures que Mathieu avait sauvegardées de sa tendre enfance, empilées dans une petite valise à cosmétiques. Il écouta les histoires que lui lut son père, et passa plusieurs heures à jouer au soccer avec lui sur sa console Wii et à répertorier pour la centième fois ses cartes Pokémon. Une vraie fin de semaine de copains-pour-de-vrai.

Ils ne reparlèrent pas de Stéphanie, encore moins de son nouveau conjoint et de ses enfants. Hubert était rempli d'anxiété quand la conversation revenait sur le sujet.

4

Jeanne pénétra dans le cabinet de la docteure Rachika Karoui après avoir attendu sa permission d'entrer, émise du bout des lèvres.

— J'ai une belle lettre pour vous ! Avec de jolies couleurs. Ce ne doit pas être un compte d'Hydro avec une si belle présentation. D'après moi, cette lettre provient de votre pays, dit-elle en riant.

— Sûrement, trancha Rachika en attrapant fermement la lettre.

Elle l'ouvrit. Un carton ouvragé. Un ciel multicolore sur lequel se découpait la silhouette d'un couple d'acrobates longilignes vêtus de presque rien. Il s'agissait d'une photo et non d'un dessin.

Jeanne s'était éloignée, tout en ne parvenant pas à cacher sa curiosité. À mesure que Rachika avançait dans sa lecture et que ses yeux ralentissaient chaque fois que le message l'enchantait, Jeanne, elle, reculait d'un pas. Par respect.

— Oh !

La docteure Karoui se mit à pleurer silencieusement, visiblement émue.

— Mon dieu ! Une mauvaise nouvelle ? s'enquit
Jeanne avec sollicitude.

Deux billets de spectacle échouèrent sur le bureau.

— Des billets pour le Cirque du Soleil ! C'est un
beau cadeau, ça ! Quelqu'un que vous connaissez ?

— Elle écrit : « Un papillon s'est échappé de sa
prison de chair et s'est envolé dans la lumière du
soir. Grâce à vous, Docteure. » C'est pour dans deux
semaines, le 23. Je vous invite, ma chère Jeanne. Vous
êtes déjà allée au Cirque du Soleil ?

— Non, mais j'en rêve ! C'est indiscret de vous
demander si vous connaissez quelqu'un parmi les
membres du Cirque ?

— Oh, que oui !

Jeanne parut surprise.

— Une patiente à vous ? osa-t-elle.

La docteure Karoui se cala dans son fauteuil et,
de sa voix douce, elle se mit à raconter à Jeanne ce
qu'elle savait au sujet de l'expéditrice des billets.

Il arrivait assez souvent que des patients offrent
un cadeau, une bouteille de vin, des pots de confiture
ou une œuvre de fabrication artisanale pour remercier
leur médecin de si bien s'occuper de leur santé. Ce sont
les représentants pharmaceutiques — elle le tenait de

Jean Baudouin qui avait longtemps représenté la compagnie Fritzer — qui, la plupart du temps, offraient des billets de spectacle.

— Elle est venue me voir quelques mois après mon arrivée ici, à la clinique Valrose. Je n'oublierai jamais cette rencontre. Une belle grande jeune fille qui gagnait sa vie comme mannequin de lingerie fine. Elle avait de grandes plaques plus claires sur la peau. Je lui ai diagnostiqué un important vitiligo. Vous connaissez, Jeanne ? Le vitiligo. Un drame pour elle, vous pouvez imaginer. J'ai tenté de la réconforter. Il n'y a aucun traitement efficace pour traiter cette maladie, sauf tenter de camoufler les taches avec un maquillage approprié ou avec des manches longues. La carrière de mannequin était terminée pour cette jeune femme déterminée.

— Vous pensez qu'elle est dans l'organisation du Cirque ?

— Sans doute. Elle avait une personnalité flamboyante.

— Elle n'est jamais revenue vous voir ? Ça a dû partir, vous savez bien ! insista Jeanne.

Pour la réceptionniste, il ne pouvait pas y avoir plus grande distance entre les deux femmes : la première évitant de se dévêtir et affichant une pudeur quasi religieuse, et l'autre, exhibant son intimité sous les projecteurs.

— Je n'ai jamais entendu parler de Martine Loubier après ce fameux rendez-vous qui m'a grandement impressionnée, laissa glisser tomber la docteure Karoui d'une voix toute maternelle. Jusqu'à aujourd'hui.

***

Ce samedi-là, Jeanne monta dans la voiture de la docteure Karoui. Jean avait accepté d'aller écouter la partie de hockey chez son neveu Charles. Rares étaient les samedis où chacun sortait de son côté. Cette fois était une heureuse exception pour Jeanne. Accepter l'invitation d'un médecin de la clinique n'arrivait jamais. D'une femme voilée, en plus.

Leurs sièges étaient situés dans la première rangée, là où circulait une farandole de personnages colorés, enjoués et prêts à offrir des numéros tous plus loufoques les uns que les autres. Le Cirque du Soleil était reconnu comme le cirque le plus singulier et le plus impressionnant au monde. Il avait posé son énorme chapiteau au bord du fleuve Saint-Laurent, dans le Vieux-Port de Montréal.

***

Rachika Karoui ne se doutait de rien. Pourquoi sa patiente l'avait-elle conviée à ce spectacle ? Pourquoi ces gens qui la toisaient la faisaient se sentir fautive de porter ainsi le foulard ? Personne n'était au courant que le hijab était devenu pour elle — à cause d'une maladie qui la rendait presque chauve —, un moyen de cacher la laideur de sa maigre chevelure. Rachika avait consulté un regroupement de dermatologues œuvrant au centre hospitalier. Elle n'avait subi aucune anesthésie, gérait bien son stress, n'avait aucune carence en magnésium, en zinc ou en calcium, et ne prenait aucun contraceptif. Les spécialistes n'avaient rien trouvé pour expliquer cette étrange alopécie.

Sous le chapiteau, des enfants la fixaient de manière très indiscrète et les femmes, assises aux alentours, affichaient un air sévère. Elle aurait pu entendre : « Si tu ne peux pas vivre tête nue, retourne dans ton pays ! » Pourtant, Jeanne lui avait raconté que sa propre mère portait un foulard pour aller faire son épicerie quand il faisait un peu frais. Un carré de soie noué sous le menton. Et personne ne trouvait à redire parce que ce couvre-chef n'était relié à aucune religion, sans doute. Rachika avait expliqué à Martine Loubier pourquoi elle avait trouvé bien d'adon de porter le foulard islamique pour cacher ses plaques de calvitie. Aziz n'exigeait pas de sa femme qu'elle le porte. Il ne pratiquait sa religion d'aucune manière. Depuis que le couple s'était installé au Québec, Rachika était une femme libre. Aussi, sa coiffure représentait-elle un moyen essentiel de cacher cet horrible défaut pour une femme américaine : une alopécie inexplicable.

Un personnage flamboyant, couvert d'or et d'argent, inondé de lumière apparut. La musique retentit, aussi mystérieuse que tonitruante. Une douzaine d'enfants magiciens voletaient autour de l'étrange géant bleu. Un essaim de fées Carabosse tiraient chacune un cheval sculpté au bout d'une ficelle dorée et une fumée montait en minces volutes vers le faîte du chapiteau. Le décor était composé de longues herbes et de nids de paille blanche où ronflaient des chenilles incandescentes. Jeanne porta les mains à sa bouche tellement elle était ébahie par la beauté de la scène. Elle était redevenue une petite fille, muette devant la magie. Rachika, elle, était trop intriguée par l'invitation de Martine Loubier pour oser se détacher de la réalité. Quand sa patiente allait-elle lui apparaître pour la saluer dignement ? Tout à coup, les personnages mystérieux s'écartèrent pour laisser paraître un immense papillon multicolore. Il s'agissait d'une acrobate incarnant l'insecte préféré des spectateurs, se balançant au bout d'un long câble scintillant, toutes voilures suivant les harmonies de la harpe. Elle s'enroulait pour redescendre au milieu de fleurs rouges et jaunes entourées d'enfants-fourmis qui accouraient au moindre mouvement de la brise. C'était un spectacle radieux comme jamais Jeanne et Rachika n'avaient pu en imaginer. Le silence était de mise, même chez les petits enfants qui, médusés, ne bougeaient pas, assis auprès de leurs parents. De la magie. Une si belle magie que Rachika mit au moins cinq minutes avant de la reconnaître. Ce papillon dont la peau était parsemée de taches blanches si visibles malgré l'intense luminosité, contrastant sur son épiderme hâlé, c'était Martine Loubier. Rachika comprit immédiatement que la jeune femme avait trouvé le moyen de faire oublier sa maladie, ses taches sur son épiderme, devenues ocelles mordorés de papillon. Elle avait choisi de troquer son vitiligo contre un rôle mille fois plus important. Elle avait dessiné autour de ses marbrures qu'elle trouvait si laides, d'autres cercles blancs, pouvant métamorphoser son chagrin en beauté. Rachika applaudit très fort lorsque se termina le numéro de Martine Loubier. La docteure aurait du mal à se rendre jusqu'au bout du spectacle tant elle avait hâte de féliciter l'acrobate. Pour une fois, elle avait aidé une patiente à transformer sa vie en miracle. Pour une fois. « Un papillon s'est échappé de sa prison de chair et s'est envolé dans la lumière du soir. »

Quand la fin du spectacle arriva, Rachika supplia Jeanne d'attendre la sortie des acrobates. Elle demanda à un préposé qui nettoyait les gradins où elle pouvait saluer Martine Loubier. L'homme se proposa pour aller vérifier, mais il revint aussitôt pour lui remettre une petite carte sans enveloppe.

— Vous êtes la docteure Karoui? madame Loubier a laissé ceci pour vous.

— Ah, merci!

— Elle est partie, c'est dommage, lui dit Jeanne avec tristesse.

Rachika ouvrit prestement la petite carte qui ne comprenait qu'une feuille pliée d'un article de journal. Elle lut:

« *L'acrobate Martine Loubier, après dix ans en tant que mannequin de mode internationale, s'est vue obligée de quitter cette profession à cause de la maladie du vitiligo. Elle a alors choisi le métier exigeant d'acrobate aux États-Unis, puis a joint l'équipe du Cirque du Soleil. Le 23 de ce mois, comme le papillon qu'elle incarne depuis deux ans au Cirque, Martine Loubier s'envolera pour l'Italie où elle accouchera de son premier enfant. Elle est en effet mariée à un couturier romain, et le couple a décidé de s'installer à Milan. Nous lui souhaitons une belle vie.* »

La docteure Karoui plaça la petite carte au fond de son sac à main, un sourire radieux sur les lèvres.

— On y va?

***

Benoît donnait tout ce qu'il avait. Et pendant qu'il faisait l'amour à Fabienne, usant de toutes ses connaissances et de ses fantaisies érotiques, elle songeait à Pierre-André.

À chaque coup de hanche, elle le voyait frapper avec une pierre l'arceau du cadenas qui le tenait enfermé ; à chaque baiser, elle l'imaginait en train de boire les quelques millilitres d'eau fraîche qu'on lui octroyait chaque jour ; à chaque tentative de la faire jouir, elle pouvait aisément croire au bonheur qu'elle éprouverait à la libération de son ex-amoureux. Allait-elle un jour être elle-même libérée de Pierre-André ? Après la lecture de sa lettre, relue cent fois en cachette de Benoît, elle savait qu'elle ne l'oublierait jamais. L'odeur de vétiver lui faisait penser à lui. Ainsi que les effluves de la vanille, du sucre de canne, du café fraîchement torréfié, du sel de mer. Et surtout le réséda des ciels d'automne la ramenait à Port-au-Prince. Fabienne collaborait aux gestes sensuels de Benoît et elle était persuadée de l'aimer profondément. Mais une barrière s'élevait entre eux. Comme une tâche inachevée ou un geste interrompu.

Ils n'utilisaient aucun moyen contraceptif. Fabienne et Benoît voulaient un enfant né de leur amour. Un petit frère pour Emmanuel. Et Fabienne désirait que cela arrive le plus rapidement possible pour ensuite bien reprendre sa place à la clinique

Valrose. Elle avait plusieurs fois négligé ses patients pour partir à l'aventure. Il était temps qu'elle termine son rôle de gestante avant de s'y mettre avec plus de sérieux. Les patients oubliaient que les femmes médecins étaient aussi des mères, qu'elles mettaient comme les autres neuf mois à porter un enfant, qu'elles avaient parfois besoin d'un arrêt préventif de plusieurs mois et aussi de quelques semaines pour s'occuper de leur nouveau-né. Fabienne Lanthier s'était toujours répété qu'après avoir mis ses enfants sur les rails, et pendant que ses collègues seraient sur les terrains de golf, elle consacrerait sa vie à soigner ses patients, à collaborer aux mouvements corporatifs, à participer aux comités de l'hôpital, à visiter ses vieux patients à la maison.

Elle sentit la vague monter au creux de son ventre. Elle sourit puis laissa pénétrer Benoît aussi loin qu'il le voulait tout en stimulant de son majeur habile ce petit pétoncle qui créait chez elle les plus grands émois. Elle haleta, puis ne put retenir ce drôle de couinement suivi d'une longue plainte qui ravissait son partenaire. Pierre-André, lui, appliquait la main sur sa bouche pour qu'elle n'alerte pas les oreilles indiscrètes qui se tenaient derrière les blocs ajourés des murs de la chambre en Haïti. Benoît jouit à son tour, en se recroquevillant dans un pieux silence, satisfait, heureux et comblé.

Le téléphone sonna tout à coup alors que prenaient fin leurs courts ébats. Fabienne répondit. C'était sa mère qui appelait.

— Quoi ? Où il est ? Quoi ? Il est… avec toi ? lança-t-elle.

Benoît se mit à écouter la conversation, étonné par ce qu'il croyait comprendre tout à coup. Fabienne mit la main sur le combiné.

— C'est maman. Elle est avec mon père. Elle pense qu'il n'en a plus pour très longtemps. Un cancer du foie, il paraît. Il ne m'a rien dit. Toujours plein de mystères, maudit Richard Lanthier !

Benoît s'habilla comme si la pudeur était aussi de mise quand la belle-mère était au bout du fil. Fabienne se mit à pleurer.

— Pourquoi personne ne m'a dit que vous étiez revenus ensemble, mom ?

— Nous n'étions pas revenus ensemble. Je suis revenue pour m'occuper de ton père, Fab ! J'avais rompu avec Dean et j'étais tannée des croisières. Ça fait juste un mois que je suis de retour. Richard est ton père et il a besoin de moi.

— Non, Richard a été ton mari ! Ne me mêle pas à ça ! Il est mon père, mais il ne s'est pas préoccupé de moi depuis des années. Bizarre que vous ayez eu peur de me dire que tu vivais avec lui, tout de même ! Ça doit être parce que vous aviez honte, tu ne penses pas ?

— Écoute, ma chérie... je n'ai aucune honte et surtout aucun remords. Je suis venue m'occuper d'Emmanuel. Et je serai près de vous, désormais. Tu peux m'appeler quand tu auras besoin. En ce moment, tout mon temps est consacré à ton père et à lire des livres sur la pensée positive, sur les traitements de ce maudit cancer que toi, comme médecin, tu as dans la face à tous les jours. Une maudite maladie qui détruit le moral des gens avant même qu'elle soit diagnostiquée officiellement! Richard a besoin de moi, alors je suis auprès de lui. J'ai fait une demande à la Maison Soleil.

— Aux soins palliatifs? Il est si avancé que ça, mom?

— Oui, Fabienne. Si avancé que ça. Et il n'a personne. Peu importe ses torts. Peu importe ses égarements. J'attends des nouvelles de madame Cloutier de la Maison Soleil. Dès qu'un lit se libérera, elle va m'appeler. Elle a reçu la demande officielle de son docteur.

— Papa, il sait?

— À moitié. Je ne lui ai pas encore dit pour les soins palliatifs. J'attendais que tu lui parles.

— Moi, ça?

— Oui, toi, sa fille médecin. Celle pour laquelle il a économisé, dont il a rêvé qu'elle deviendrait millionnaire dans une méga-clinique en plein centre-ville!

Dolorès se mit à rire malgré le sérieux de la situation.

Fabienne fixait Benoît, vêtu de son pyjama fleuri, qui espionnait la conversation qu'elle avait avec sa mère sans, comme elle le faisait toujours, poser mille questions. Bien sûr que les mots « soins palliatifs » avaient attiré son attention. La Maison Soleil était presque sa création dans sa mission actuelle. C'est lui qui avait lancé l'idée d'une campagne annuelle de financement et qui avait suggéré d'y élire des présidents qui avaient fort bonne réputation parmi les citoyens. Depuis qu'il avait refilé la responsabilité des soins à Mathieu, il se sentait de nouveau attiré par cette pratique qu'il jugeait indispensable, bien qu'en retrait des soins hospitaliers. La mort était aussi importante que la vie, et peut-être davantage. On naissait sans expérience aucune ; on mourait avec la pleine conscience de tout laisser derrière soi. C'était comme quitter une grosse fête amusante alors que les autres y demeuraient. C'était, en tout cas, ce qu'en avait pensé Marie-Laure Déa, la vieille amie de Béatrice, lorsqu'elle était venue terminer sa vie à la Maison Soleil. Benoît chassa l'image de Béatrice aussi rapidement qu'il avait permis qu'elle revienne. Il se dit que Fabienne et lui vivaient chacun avec le fantôme d'un amour tenace.

Il prit Fabienne dans ses bras quand elle raccrocha, tout éplorée. Entre deux hoquets, elle tentait de
lui expliquer ce dont elle venait de parler avec sa mère.

— J'ai tout compris, mon amour. On va faire ce
qu'il faut. Demain matin, on va aller voir ton père. Ça
lui fera du bien de voir Emmanuel. Tu veux ?

— Il n'a pas cherché à le voir depuis l'autre jour,
chez McDonald's ! C'est un sans-cœur, tu sauras ! Un
maudit sans-cœur !

— Peut-être, au contraire, a-t-il assez de cœur
pour ne pas trop s'attacher. Il sait sans doute qu'il n'en
a plus pour longtemps. Demain, tu lui demanderas
tout ça. Allons, viens te coucher. Le prince Emmanuel
pourrait se réveiller au beau milieu de la nuit.

— Tu me fais du bien, Benoît. Tellement !...
souffla-t-elle avant de se diriger vers la chambre.

Cette nuit-là, elle fit des rêves étranges. De ceux
dont on garde le souvenir en détail. Il y avait un petit
Haïtien qui tentait de lui prendre la main et de l'entraî-
ner vers une maison faite de friandises, comme celle
du conte *Hansel et Gretel*. Quand ils y pénétrèrent,
une silhouette courbée leur ouvrit la porte. C'était
une vieille femme avec le visage de Dolorès qui n'au-
gurait rien de bon. Elle voulait lancer l'enfant noir et
Fabienne dans un grand feu alimenté par une dizaine
d'arbres verts et touffus. Richard était allongé sur une

couche de fleurs et disait : « Avec les feuilles, ça ne brûlera pas ! Ça prend du bois sec. Combien de fois je te l'ai dit, Fabienne ? Tu ne comprends jamais rien ! » Puis Dolorès poussa une longue plainte en grattant une allumette. Benoît s'approchait et soufflait pour éteindre la flamme. « Attendez. Richard a raison. Ça ne flambera pas ! Attendez que le bois soit assez sec. Ça ne flambera pas ! »

Elle s'éveillait, buvait un peu d'eau et tâchait de se rendormir. Le plus étonnant, c'est que, chaque fois, elle retournait en plein milieu de son rêve. Juste au moment où le grabat de son père s'embrasait, elle se réveilla pour de bon. Il était sept heures. Emmanuel l'appelait.

***

À neuf heures, ils étaient tous auprès de Richard. Il avait beau avoir demandé à Dolorès de cacher son abdomen, Fabienne constata que le cancer avait manifestement gonflé le ventre de son père. Son teint était jaune citron et ses yeux étaient ceux de certains Noirs éthyliques que soignait Pierre-André. On aurait dit qu'Emmanuel savait que son grand-père était souffrant. Il écarquilla les yeux lorsque Fabienne approcha de lui le visage du malade. Dolorès pleurait lentement, s'essuyant les yeux avec un linge à vaisselle.

— Tu aurais dû m'avertir, mom !

— Richard et moi, nous avions besoin de vivre ces moments-là ensemble. Nous avions plein de choses à nous dire et à nous pardonner. Après tout, sans vouloir te choquer, Richard et moi étions là un couple bien avant que tu arrives, ma chérie.

Benoît regardait la scène avec circonspection tout en s'assurant qu'Emmanuel ne dérange pas la petite famille. Ce moment était si important pour Fabienne. Il allait et venait de la cuisine à la chambre du malade, transportant un pichet d'eau fraîche, remplissant une bouillotte pour atténuer la douleur, apportant des papiers-mouchoirs. Fabienne appréciait ce qu'il faisait pour les derniers moments de son père.

— Quand vont-ils l'envoyer aux soins palliatifs ? demanda Dolorès.

— Je vais appeler, proposa Benoît.

Quand il revint, tenant toujours le téléphone, Benoît avait l'air d'un gamin qui a perdu la partie.

— Ce ne sera pas avant une semaine. Les chambres sont toutes occupées et les patients viennent à peu près tous d'y être installés. Dès qu'une place se libère, madame Cloutier m'a promis de m'appeler.

Dolorès enfouit son visage dans ses mains et Fabienne posa la tête sur la poitrine de son père. Richard eut un sursaut d'énergie.

— Fab! Arrête de t'en faire pour moi. Je peux mourir ici, ce n'est pas grave. Dolorès va rester auprès de moi.

— Et moi, papa, je ne peux pas rester avec toi tout le temps. Je peux toujours annuler mon bureau...

— Tes patients ont le droit de compter sur leur docteur, voyons donc! Tu manques déjà assez souvent et ça prend des mois avant d'avoir un rendez-vous!

Il prit une grande inspiration, puis retomba dans ce silence qui le rendait encore plus misérable. Emmanuel s'était endormi sur le divan à proximité, ignorant le sérieux de la situation. Grand-papa allait partir. Il n'aurait pas eu le temps de bien le connaître, mais Fabienne se promit de parler souvent de Richard à son fils en lui cachant, bien sûr, de grands pans de la vérité.

Benoît sentait le désespoir de Fabienne. Il eut une idée:

— Combien reçoit-il de morphine en ce moment? s'enquit-il auprès de Dolorès.

— Quatre point cinq.

— Ok. Écoutez, j'ai la solution. Je vais lui organiser des soins palliatifs à la maison.

— Toi? Mais tu ne pourras pas!

— J'avais pris deux semaines de vacances, tu le sais Fabienne. Je devais aller à Cuba. Et maintenant que... que j'ai une femme et un fils, je peux m'occuper de Richard. Je saurai bien soulager sa douleur et vous téléphoner dès que je sentirai qu'il ne résiste plus. Vous pourrez être là pour lui dire adieu. Je serai là tous les jours. Et toi, Fab, tu me remplaceras quand tu pourras. Allons, je vous l'offre ! La Maison Soleil vous appellera lorsqu'une chambre se libère, mais il vaut mieux ne pas trop compter là-dessus.

— Mais, Benoît, rien ne justifie que tu ne prennes pas tes vacances !... chuchota Fabienne.

— Nous irons à Cuba les trois ensemble. Chaque chose en son temps. Je ne me serais pas reposé, de toute manière, sans toi et Emmanuel. Ça fait longtemps que j'ai réservé à Cayo Largo. Je ne pouvais pas savoir que tu accepterais de me prendre dans ta vie, mon amour.

— Je trouve que c'est un geste d'une grande générosité, Benoît. Moi, j'accepte, glissa Dolorès en prenant la main du docteur Raymond avec tendresse.

On installa un lit à côté de celui de Richard. Son état se détériorait à chaque heure. Benoît augmenta la dose de morphine à cinq milligrammes. Il avait fait provision de soupes en sachet, de poudings et de yogourts, de couches pour adultes, de draps et d'oreillers, et avait rapporté de l'hôpital un porte-sérum, des poches de solutions salines, des alèses, des seringues et des aiguilles. Le préposé au matériel médical avait reçu très favorablement la demande du docteur Raymond en louant sa sollicitude. L'agonie pouvait durer plusieurs semaines. Mais Benoît était persuadé, vu son expérience récente, que Richard Lanthier en avait pour une semaine tout au plus. Il fallait l'hydrater et enrayer la douleur par tous les moyens et, surtout, lui permettre de partir dans une certaine allégresse, sans tristesse et sans remords en présence des femmes de sa vie, enfin, les plus officielles.

Les nuits paraissaient interminables ; chaque matin, Richard recevait des soins hygiéniques et, dès que Fabienne ou Dolorès arrivait, on procédait au remplacement des draps, on offrait aussi au malade beaucoup d'amour et d'attention.

Ce matin-là, Fabienne arriva plus tôt que d'habitude. La gardienne avait accepté de prendre Emmanuel pour l'heure du petit déjeuner. Elle tenait une garderie familiale qui comptait trois petits garçons et une petite fille de trois ans. Elle s'appelait Odette Chiasson et il était évident qu'elle adorait son travail. Ses horaires étaient assez souples pour accommoder les parents, tous des professionnels qui avaient parfois besoin d'étaler leur horaire : une infirmière, une directrice d'école primaire, une avocate et un médecin. Odette se faisait appeler Dodo comme le faisait Dolorès. Une deuxième Dodo était ainsi apparue et Emmanuel l'aimait déjà beaucoup.

— Comment va-t-il ?

— Il souffre de plus en plus. J'ai monté le dosage. Il commence à avoir des hallucinations, mais au moins, il ne souffre pas trop.

Fabienne se pencha au-dessus du mourant et lui embrassa le front.

— Tu peux aller te reposer. Je vais rester un peu avec lui. J'ai des choses importantes à lui dire. Tu crois qu'il nous entend?

— Je ne sais pas. Je lui ai dit que je t'aimais et il n'a eu aucune réaction. Moi, je voulais lui demander ta main, mon amour. Un père doit accepter que sa fille épouse son amoureux, tu ne crois pas?

— Preuve qu'il n'est conscient de rien. Parce que s'il entendait, Benoît, sûr qu'il aurait dit non. Jamais aucun homme n'est assez bon pour marier sa fille!

— Il aurait refusé, tu penses? minauda-t-il près de son oreille.

— Je me serais empressée d'aller me marier, juste pour le contredire, tu sais bien.

— Alors, je vais sortir déjeuner et en profiter pour me reposer. J'ai bien dormi cette nuit. J'ai pensé à toi et à Emmanuel.

— Je commence mon bureau seulement à treize heures. Je vais rester auprès de papa.

Dès qu'elle fut seule avec Richard, Fabienne commença à parler à son père. Elle voulait à tout prix qu'il entende ce qu'elle avait à lui dire. C'était une nouvelle importante qu'elle ne savait plus comment gérer.

— Mon papa, tu m'entends ?

Richard ne réagit nullement ni ne serra la main de sa fille comme parfois certains agonisants arrivent à faire quand la voix leur fait défaut.

— Papa, je sais que tu m'entends. Quand j'aurai fini, tu peux serrer mes doigts. J'ai fait un test de grossesse, ce matin. Je voulais le faire pendant que Benoît n'était pas à la maison. Mon chum et moi allons avoir un enfant. Je t'entends me dire : « Oui, pis quoi ? » Tu vas te demander pourquoi je ne lui ai pas annoncé à lui plutôt qu'à toi. Je vais te le dire. Je ne sais pas si je suis heureuse de cette nouvelle, papa. Je ne crois pas que je suis si contente d'avoir un enfant de Benoît alors que Pierre-André est derrière les barreaux en Haïti. Tu sais, j'ai beau essayer de me convaincre que Pierre-André paye pour ses erreurs, qu'il mérite ce qui lui arrive, je ne peux cesser de l'aimer. C'est comme toi. Tu as trompé maman, tu m'as abandonnée plus d'une fois, tu t'es comporté comme un bandit, nous t'avons pardonné. Regarde Dolorès comment elle a besoin de terminer son aventure avec toi sur une bonne note ! J'aime encore Pierre-André. J'ai besoin de lui comme j'ai besoin de Benoît pour d'autres motifs. Et cet enfant qui pousse en moi ne sera pas le petit frère d'Emmanuel. Je me suis beaucoup enragée contre la situation, j'ai rejeté toutes les expériences que j'ai vécues avec Pierre-André, mais je suis incapable de l'oublier et si je pouvais le faire revenir au Québec, je le ferais. Je briserais la vie de Benoît, sans aucun doute. Alors, papa, j'ai besoin qu'avant que tu ne partes, tu me dises ce que je dois faire. Si je garde ce bébé, je dois renoncer à Pierre-André à jamais. Papa, qu'est-ce que je dois faire ? Aide-moi. Avant de t'en aller, papa, dis-moi si je dois renoncer à mon amour pour porter l'enfant de Benoît. Presse ma main si je dois continuer avec Benoît. Presse ma main, papa !

Il ne se passa rien. Richard respirait discrètement, sans même faire monter les couvertures. Le sac de soluté était arrivé à son terme. Il fallait qu'elle le remplace si elle voulait que le médicament continue à calmer sa douleur. Son teint passait au gris et il ne produisait plus d'urine.

— Papa, serre ma main et je vais garder mon bébé. Je vais renoncer à Pierre-André. Tu dois serrer ma main. PAPA !

Richard émit d'étranges borborygmes et des soubresauts secouaient sa cage thoracique. Fabienne se demandait si elle devait téléphoner à Dolorès qui mettrait sans doute quinze minutes à arriver. Elle tenait toujours la main de son père qu'elle porta à ses lèvres. Au deuxième sursaut de vie, elle sentit que son père pressait sa main, comme un dernier message à sa fille unique. Puis ce fut le silence. Silence lourd. Silence cruel. Le dernier.

Elle ne se mit pas à pleurer. Elle porta la main à son abdomen, espérant que le petit brin de vie qui flottait au milieu de son utérus allait s'accrocher avec courage. Il fallait que sa maman oublie le docteur Pierre-André Caron.

5

Rodolphe Baugniez entra timidement dans le cabinet de l'urgence après avoir patienté dans la salle d'attente pendant trois heures, à lire de mauvaises revues, à se gratter la tête, à reluquer les autres patients, à fixer le distributeur électronique de numéros, à sommeiller un peu, à saluer une jolie vieille dame, à soupirer avec force parfois.

À la réception, Jeanne avait consenti — ce qui était une pratique défendue à la clinique Valrose — à lui révéler quel médecin était de garde à l'urgence ce matin-là. Elle savait pertinemment qu'une part importante des patients se rendraient aux urgences le jour où leur médecin de famille serait en service, ce qui pénaliserait les médecins qui n'avaient qu'une faible clientèle, comme les docteures Karoui et Flanders.

Jeanne Beaulieu connaissait l'attachement de monsieur Baugniez pour Fabienne. Elle savait qu'habituellement, il recevait des soins à domicile de sa chère docteure Lanthier et que son état devait être très grave s'il tenait absolument à la consulter à l'urgence !

— Vous pouvez prendre une chance que ce soit la docteure Lanthier qui est de garde, lui avait-elle affirmé en appuyant sur chaque mot, sachant qu'elle contrevenait aux règlements mis en place par la docteure Lanthier elle-même.

Monsieur Baugniez avait compris et s'était présenté dès l'ouverture.

— Quand j'ai vu votre dossier sur mon bureau, j'étais très inquiète. Des problèmes ?

— Ma docteure Lanthier ! J'ai des migraines terribles et après, des pertes de mémoire et je suis angoissé ! Je veux aller dans un de vos mouroirs, là où vous foutez les vieux quand ils vous occasionnent trop de problèmes.

Fabienne sourit. Le cas de monsieur Baugniez n'était pas de ceux qu'elle voyait habituellement à l'urgence, mais ce patient avait un statut particulier. Il était un jour entré dans la vie intime de Fabienne, lui avait apporté du support, lui avait prodigué des conseils judicieux, avait accueilli Emmanuel comme son propre petit-fils et l'avait toujours appelée « ma » docteure.

— Laissez-moi d'abord prendre votre tension artérielle, lui dit-elle avec douceur.

Il releva sa manche en poussant un long soupir. Il porta ensuite la main à son front comme si une migraine le tenaillait toujours.

— Vous avez mal?

— C'est votre foutu brassard qui me serre le bras. Maudit que ça serre! J'étouffe, on dirait. Ma pression doit être élevée juste à cause de ça!

— Elle est à 215 sur... 115. Oui, c'est trop élevé! Je vais appeler à l'Accueil clinique de l'Hôpital Sainte-Marie.

— Bon, c'est quoi, cette clinique, ma docteure Lanthier?

— Une des bonnes choses qu'a apportées le ministre Charrette! L'Accueil clinique s'occupe d'une trentaine de protocoles qui, autrement, prendraient des mois d'investigation. Dans un seul rendez-vous, on vous fait passer la plupart de vos examens sans vous hospitaliser et sans vous faire revenir dix fois.

— Y'a des docteurs pour ça? Ça doit être des médecins privés.

— Ce sont des infirmières techniciennes, Monsieur Baugniez. Des filles qui ne sont pas très loin d'avoir reçu la formation des médecins. Nous, ici, à Valrose, on en a plusieurs, vous savez. Elles sont efficaces et très gentilles, vous verrez. Marie-Ève va vous prendre en charge, vous fera passer toute la batterie de tests et elle vous donnera vos rendez-vous avec le cardiologue, le neurologue et d'autres si elle le juge nécessaire. Pas d'hospitalisation. Ça fait seulement quelques années que l'Accueil clinique existe. Une porte d'entrée pour soigner rapidement les malades.

— Ainsi, vous admettez que je suis malade ?

— On ne badine pas, comme vous le dites souvent, avec des pertes de mémoire subites, mon bon monsieur Baugniez. Les migraines sont probablement causées par votre haute pression.

Puis, vint la question piège :

— Vous prenez votre Coversyl ? Et votre Biso-prolol tous les jours ? Et surtout votre Coumadin ? Vous faites de la fibrillation auriculaire, vous le savez, déclina-t-elle en le fixant dans les yeux.

Le temps qu'il prit pour répondre n'avait rien à voir avec ses pertes de mémoire, constata Fabienne. Elle connaissait la réponse.

— Les bleues me donnent des nausées. Les blanches me donnent la diarrhée. Y'a rien de pire que de ne jamais pouvoir sortir sans sa liste des McDonald's et des Tim Hortons pour leurs toilettes. Faut que je prenne un café à chaque fois pour emprunter leurs toilettes. Ça finit par coûter cher ! Il y a le dépanneur au coin de Saint-Louis qui me laisse utiliser le petit coin. Je les connais toutes ! Les pilules roses assèchent la bouche, j'ai les lèvres qui me collent sur les dents. Vous voyez ?

— Qu'est-ce que je dois comprendre ?

Rodolphe Baugniez prit le temps de réfléchir. Devait-il tout avouer ? Puis, d'un seul souffle, comme lorsque petit, il devait reconnaître une grosse bêtise :

— J'ai tout arrêté !

— Vous avez cessé de prendre vos médicaments ? s'égosilla-t-elle. Le pharmacien ne m'a rien dit, pourtant. Danh N'Guyen est très fort dans le suivi des patients. Quand un patient ne va plus chercher ses pilules, il contacte son médecin traitant, s'inquiéta Fabienne.

— Je m'excuse, mais votre Vietnamien n'est nullement au courant. Je n'ai pas arrêté d'aller les chercher, j'ai juste cessé de les avaler. Je les reçois toutes les semaines, ses maudits distributeurs pour dingues ! Lundi, mardi, matin, après-midi. Quatre fois par mois sans que je les demande. Ils sont tous empilés dans le coffre de cèdre de ma première femme, avec ses jupons et ses camisoles de soie.

— Rodolphe ! s'écria Fabienne. Ça coûte une fortune, ces *piluliers,* et c'est toute la société qui paye ! Et, vous, vous les empilez dans le coffre de cèdre ! Et vous allez nous péter un AVC ! Là, vous allez coûter des milliers de dollars en soins si vous ne mourez pas au bout… de… de votre inconscience !

— Après, je ne coûterai plus rien, ma docteure Lanthier. Quand on est mort, on ne coûte plus rien du tout !

Fabienne sentit alors qu'il y avait autre chose que des migraines et quelques égarements. Il y avait beaucoup plus grave. Rodolphe Baugniez s'éteignait. Il perdait sa joie, son enthousiasme.

— C'est à cause de madame Laura ? Vous vous ennuyez ?

Il ne répondit pas, mais ses yeux s'embuèrent.

Bien sûr, Rodolphe vieillissait. Suzanne Doucet, qui avait en quelque sorte adopté monsieur Baugniez et Laura Poirier, lui avait dit que le vieil homme ne donnait presque plus de nouvelles. Elle avait alors parlé d'une déprime, se rappela la docteure Lanthier, quand elle avait croisé madame Doucet à l'épicerie. Elle ne l'avait pas prise au sérieux, puisque chaque fois qu'elle le rencontrait, Rodolphe était si joyeux. Un gai luron ne faisait habituellement pas de dépression.

Fabienne songea à son père et se dit qu'elle s'était depuis si longtemps réfugiée à l'ombre de monsieur Baugniez qu'il était devenu plus qu'un patient, plus qu'un ami même. Il avait remplacé Richard, mais lui n'attendait de sa fille aucun miracle, aucune promesse. Elle pouvait lui parler de Pierre-André Caron, de ses conditions de détention, de cet amour qu'elle n'arrivait pas à oublier, jamais Rodolphe n'aurait songé un seul instant à la disputer.

Elle se promit de demander une consultation en psychiatrie. Rodolphe Baugniez lui était trop précieux.

— Vous auriez pu faire un AVC sans votre Coumadin, vous le savez. Un petit caillot et hop !

— Avec le Coumadin, il faut toujours que je passe une analyse sanguine. Des fois, c'est toutes les semaines quand il est trop haut. Ils disent qu'il ne faut pas manger de chou et nous, les Belges, on aime beaucoup les choux, et des sortes que vous ne connaissez même pas !

— Je vous ai parlé de deux ou de trois autres sortes de médicaments et vous n'en avez pas voulu.

— Vous m'avez dit que je pourrais mourir au bout de mon sang !

— Oui, si vous aviez un accident grave qui vous fasse saigner.

— J'ai plus de chance d'avoir un accident et de saigner comme un porc que de faire un AVC. J'ai pas pris de chance.

— C'est ça ! Si vous mourez, je vais être accusée de ne pas m'être bien occupée de vous. Tout le monde à la clinique sait que vous êtes mon chouchou. Qu'est-ce que vous pensez qu'ils diraient ?

— Ils diraient que vous n'êtes pas un tyran. Que vous respectez la liberté de vos patients, ma docteure.

Les gens déçus de la vie n'ont pas tous le courage de se pendre ou de se trancher les veines. Rappelez-vous ceci : un grand pourcentage de vieilles personnes se suicident en arrêtant de prendre leurs pilules. C'est pas spectaculaire pour le *Allô Police*, mais c'est efficace.

— Monsieur… Monsieur Baugniez ! Vous essayez… de… mourir ? bafouilla Fabienne en portant la main à sa bouche.

— Je n'ai pas dit ça. Je voulais attirer votre attention sur un fait que la médecine oublie parfois. Ça prenait un vieux limier de la police pour vous en informer. Les pharmaciens, ces bouffeurs de dollars, le savent, eux. Ils t'envoient automatiquement tes pilules comme si tu étais un gosse. On sait qu'ils sont bien payés pour préparer leurs distributeurs de bonbons, et pour remplir le formulaire, une fortune ! Mon ami Rosario est mort l'année passée et il a reçu ses *dispills* pendant six mois !

Fabienne était interloquée. Elle se rappela cette histoire qu'il lui avait racontée. Elle demeura muette devant cette simple vérité. Elle faisait semblant d'écrire dans le dossier de son patient.

— Vous allez vous rendre à l'Accueil clinique de l'hôpital. Quelqu'un va vous appeler pour le rendez-vous. Et que je n'apprenne pas que vous n'êtes pas allé. Parce qu'alors, je ne vous reverrai plus, Monsieur

Baugniez ! C'est clair ? lança-t-elle, les yeux remplis de larmes.

Elle conduisit son patient à la sortie et appela le prochain.

***

La clinique d'obésité commençait à faire parler d'elle dans toute la région. Mathieu Crevier fut donc contraint de restreindre les rendez-vous aux seuls patients des médecins de la clinique Valrose. Cela se sut très rapidement et les employées de la réception de la clinique d'obésité se trouvèrent en nombre insuffisant. Il fallut que Jeanne et les deux autres réceptionnistes viennent à la rescousse tant les patients cherchaient à obtenir un rendez-vous.

La méthode de la motivation sur mesure pour chaque patient fonctionnait à merveille. Il n'y avait pas de tableau électronique, comme à la télévision, pour afficher le poids de la semaine précédente et celui obtenu la semaine suivante. Pas de cris ni de fanfare. Ni, non plus, de larmoiements. Tout passait par la conversation, la discussion et le temps généreux accordé à chacun. Mathieu Crevier consignait ses observations dans un dossier consacré à la perte de poids et il demandait à chaque médecin de procéder de la même manière.

À chaque fin de mois, les docteurs se réunissaient pour mettre leurs notes en commun. Ils eurent bientôt besoin de deux infirmières cliniciennes pour prendre le relais. Les patients qui le désiraient pouvaient se présenter devant elles très tôt le matin ou après leur travail. Les mêmes attentions étaient offertes par Magalie Trottier et Suzie Beauchamp. Les patients de la clinique Valrose avaient beaucoup de respect pour les infirmières cliniciennes tant elles étaient prévenantes et pleines d'attention et de sollicitude.

Juste avant la fête des Mères, les médecins en vinrent à la conclusion que le maillon faible de la perte de poids était l'absence d'exercice physique, lequel permettait aux plus corpulents, comme le jeune Mathys-Alexandre Lalonde-Comeau, de conserver la fermeté de leur chair. La plupart des femmes qui frisaient la cinquantaine se plaignaient que leurs tissus devenaient flasques à force de perdre du poids. Quant au jeune Mathys-Alexandre, depuis qu'il était entré la première fois dans le cabinet du docteur Crevier, il avait perdu vingt-huit kilos, avait retrouvé sa confiance en lui, se trouvait beau et s'intéressait aux filles de sa classe. Le plus impressionnant était qu'il avait repris sa place auprès de sa mère qu'il avait d'ailleurs réussi à convaincre de s'inscrire à la clinique d'obésité.

— J'ai eu une idée, annonça Mathieu Crevier à ses collègues.

— Qu'est-ce, encore ? s'impatienta Benoît Raymond.

— Nous allons marcher avec nos patients.

— Ai-je bien entendu ? lança Mélissa O'Brien qui songeait à son travail et à son rôle auprès de Roselyne qui demandait de plus en plus de soins.

— Il veut qu'on se mette tous au régime, ajouta Fabienne en avalant une gorgée de café. Maudit tyran !

— Non, écoutez mon idée avant de vous énerver ! J'ai pensé qu'un samedi par mois, on va marcher avec nos patapoufs ! On va appeler ça : *Je marche avec mon médecin.* On va marcher avec eux et on va les encourager à continuer de leur côté. Ils ne vont pas prétendre qu'on est seulement des *money makers* !

— Ça s'est déjà fait à Laval, intervint Fabienne.

— Peut-être, mais moi j'ai une meilleure idée encore, répliqua le docteur Crevier. On embarque tout le personnel, les réceptionnistes, le concierge, les infirmières, les pharmaciens, tout ceux qui ont le goût de se mettre en forme. Ce n'est pas la mort d'un homme, un samedi par mois. Ça va faire du bien à tout le monde. Et les enfants seront les bienvenus. Vous savez que les bonnes habitudes s'acquièrent quand on est jeunes. Alors, qu'est-ce que vous en dites ?

Il y eut un long moment de silence durant lequel tous se regardèrent. Puis Benoît Raymond se leva spontanément.

— Je suis d'accord, Mat !

Les autres approuvèrent avec chaleur et enthousiasme pour encourager leur collègue Mathieu, mais aussi parce que l'idée leur paraissait originale et résolument gagnante.

— *Je marche avec mon médecin !* On lance le projet, j'embarque ! lança la docteure Karoui.

— Je vais demander à Jeanne Beaulieu de préparer une affiche et de déterminer les dates et le lieu du rendez-vous.

— Ici, à la clinique ! dit Mélissa. On va marcher où ? Ça prend un terrain plat pour les poussettes.

— J'ai pensé au sentier du parc Ouellet. C'est à un demi-kilomètre de la clinique et pour aller et revenir, ça donne cinq virgule six kilomètres.

— Il a tout calculé ! dit Benoît Raymond en riant.

— Avec Hubert, samedi passé, on a mesuré la distance. On l'a faite en vélo. Cinq virgule six kilomètres exactement. C'est parfait pour les débutants. On va voir une nette amélioration. Surtout, chez les diabétiques. L'exercice physique pour ceux-là, c'est miraculeux à condition qu'ils continuent à marcher par eux-mêmes. Y avez-vous pensé ? On sera au moins cinquante au début.

— À Laval, ils ont fait faire des T-shirts sur lesquels ils ont fait imprimer leur logo. Les patients aimeraient ça, expliqua Fabienne.

— On y va pour les chandails! cria la docteure Karoui. Et des petites tailles pour les enfants!

— Bravo, Mathieu! Finalement, tu as eu l'idée du siècle. Sophie Cotnoir va parler de nous dans *L'Envolée*! Personne ne dira que les docteurs ne pensent qu'à s'acheter un chalet au Mont-Tremblant! dit Benoît Raymond en enlaçant Fabienne.

— Attention, pas de manifestations sentimentales parmi les docteurs! conclut Mathieu, le sourire aux lèvres.

***

Le mois suivant, à huit heures précises, le personnel de la clinique Valrose vit arriver une centaine de patients, certains seuls, mais la plupart avec leur famille. D'immenses bannières, flottant au vent, faisaient la promotion de l'activité et Jeanne s'était installée à une table pour offrir aux marcheurs les fameux T-shirts qui allaient créer une certaine solidarité entre eux. Sophie Cotnoir du journal régional était présente avec son photographe et procédait à des entrevues avec l'instigateur du projet et quelques patients parmi les plus... représentatifs. Le soleil était de la partie et une rumeur de carnaval s'élevait lentement du stationnement. À l'avant, fier et vibrant d'une joie à peine contenue, se tenait Mathys-Alexandre Lalonde-Comeau qui se préparait à offrir son témoignage. Sophie Cotnoir saisit l'occasion d'écrire un bon papier.

— Je vous dis, m'dame. Moi, je suis un étudiant du secondaire et depuis ma maternelle, je fais rire de moi.

— De l'intimidation ? demanda la journaliste.

— Oui, m'dame ! De l'intimidation, de celles qui tuent à petit feu. Qui ne donnent aucune chance de se développer normalement. Ma mère disait que je mangeais mes émotions. Rien de plus faux. Ce sont mes émotions qui me bouffaient en entier. Qui m'empêchaient d'aimer l'école. Qui m'empêchaient de me faire des amis. J'étais tellement seul que je ne voyais plus les autres. Moi, m'dame, je suis un garçon assez intelligent, mais mon poids faisait, comment dire, faisait de l'ombre sur ma vie. Des fois, j'étais tellement repoussé par les filles, que je commençais à penser que le monde est fait juste de garçons. Pis là, ma mère m'a traîné chez le docteur Crevier à la clinique d'obésité de Valrose. Moi qui ne voyais même plus la lumière au bout du tunnel. Je l'ai entendu, je l'ai évalué, et je me suis dit que je ne perdais rien à l'écouter. Je suis venu à toutes les semaines. On parlait de sport, de l'école, des maths, des filles… et un jour à la fois — comme les alcooliques anonymes — j'ai suivi ses conseils. Et comme vous me voyez devant vous aujourd'hui, j'ai perdu presque trente kilos ! Regardez, M'dame, je peux porter des shorts et attacher mes *runnings*. Le docteur Crevier est en train de faire de moi un beau jeune homme. Pis je lui devrai ma vie, je vous le dis !

— Merci Mathys-Alex...

— Appelez-moi Malex. C'est plus court.

Le photographe prit plusieurs clichés de Mathys-Alexandre et quelques-uns du docteur Crevier en plus d'une photo de groupe. D'autres personnes arrivaient pour encourager les marcheurs. Toni Cavarelli, Jean Baudoin et sa Jeanne, Danh N'Guyen et ses deux commis, Lisette St-Onge, la secrétaire de la clinique d'obésité, Rodney Sarrasin, le patron de la radiologie, tous attendaient le départ. Mathieu Crevier avait l'impression que son projet lui avait sauvé la vie, lui qui ne faisait jamais rien à moitié. Bien sûr, on allait parler de lui dans le journal et Stéphanie allait l'apercevoir et envier sa popularité, dût-elle être de courte durée. Elle allait peut-être regretter de s'être séparée de lui.

Le docteur Crevier s'avança et monta sur la seconde marche de l'escalier pour s'adresser aux participants. Une salve d'applaudissements monta jusqu'à lui dès qu'il souhaita la bienvenue aux marcheurs. Puis il claironna le moment du départ. Une longue colonne s'ébranla, les marcheurs placés deux à deux. Mathieu remarqua que Mathys-Alexandre marchait avec sa mère, pimpante comme si elle assistait à la remise d'un prix littéraire. Il vit aussi les Beliaveski, les Figueroa,

et les Deslauriers qui étaient venus à titre d'accompa-
gnateurs, heureux de cette merveilleuse matinée, début
d'une véritable remise en forme.

6

Roselyne se portait beaucoup mieux. La direction de la garderie avait pris la responsabilité de lui administrer ses médicaments en cas de besoin, madame Trottier ayant accepté de recevoir les instructions de Mélissa au sujet de la maladie de la petite. Elle avait bien écouté, pris des notes, et promis de prendre l'état de santé de Roselyne au sérieux. Au début, Marilou Trottier était persuadée que le VIH pouvait se répandre parmi les autres enfants de la garderie, mais quand la docteure O'Brien lui avait expliqué que le risque n'existait que s'il y avait contact par le sang — d'où l'importance d'éviter les blessures à tout prix —, elle avait accepté de tenter l'expérience. Marilou Trottier n'était quand même pas totalement rassurée. Elle s'occupait elle-même de Roselyne et de son petit groupe avec l'impression que la situation était sous contrôle. Ou qu'elle l'était davantage que si le groupe avait été confié à des jeunes éducatrices sans expérience. Marilou avait débuté son cours d'infirmière, mais avait plutôt choisi d'ouvrir un service de garde privé à quelques kilomètres de Sainte-Marie et, la demande étant assez forte, elle avait pu choisir les enfants, mais surtout leurs parents. Des professionnels pour la plupart. Marilou avait ainsi permis à Mélissa de rencontrer les parents lors de la réunion annuelle de la garderie Les Globe-trotteurs (une allusion à Trottier, sans doute) pour leur expliquer la maladie de Roselyne. Et ils avaient accepté, sauf la mère d'un petit garçon de trois ans qui, devant une telle majorité de parents favorables, avait préféré retirer son fils pour le placer au CPE de la Gare. Mélissa avait compris.

Roselyne était une petite fille joyeuse, mais craintive. Elle avait peur de rencontrer de nouvelles personnes, peur de manger un aliment nouveau, peur du bruit, peur des hommes. Le seul qu'elle acceptait était le docteur Benoît Raymond qui s'amusait avec elle et la faisait rire.

Pierre aimait beaucoup sa fille, mais son enlèvement tragique avait créé en lui une telle crainte de récidive qu'il avait préféré se détacher un peu de ses responsabilités. Mélissa s'en était aperçue et avait réagi vivement, au détriment de leur vie de couple. Elle croyait qu'un père devait prendre toutes ses responsabilités et que s'il ne le faisait pas, elle devait le forcer à les assumer, persuadée que, la plupart du temps, il revient à la femme d'enseigner au père à prendre sa place. « La femme sait être mère. L'homme a besoin, pour être père, qu'elle lui enseigne comment », avait-elle lu dans un magazine féminin. Elle n'avait pas pris la chose à la légère, mais Pierre semblait ne pas apprécier d'être tenu de demeurer à la maison des soirées et même des fins de semaine entières pour prendre soin de sa fille.

Mélissa adorait sa profession et l'exerçait avec passion, ses intérêts étant répartis entre le cabinet, les gardes à l'hôpital, les réunions administratives régionales, la clinique d'obésité et sa présence obligatoire au GMF qu'était la clinique Valrose. Une pratique très diversifiée qui devait plaire au ministre Charrette. Plus de 45 heures par semaine et parfois davantage quand elle était de garde les jours fériés. C'était le cas de tous les médecins de Valrose et de la plupart de ses collègues. Ceux qui refusaient de travailler autant étaient jugés de haut par la population. Les vieux médecins qui pratiquaient depuis l'arrivée de l'assurance maladie avaient jusqu'à deux mille patients inscrits à leur nom. Les plus jeunes, comme les médecins de Valrose, en avaient au plus neuf cents, mais sentaient qu'ils devraient en voir davantage. Il était pourtant très facile d'augmenter substantiellement le nombre de patients. Ils arrivaient de tous côtés, passant par les rendez-vous au groupe de médecine familiale obtenus au téléphone dès 7 heures du matin, par les urgences ouvertes 24 heures, par le système de réception des cliniques privées, ou il fallait être prêt à attendre. Mélissa ne comprenait pas que les malades arrivent par toutes les ouvertures du système, le meilleur au monde selon les médias internationaux, et qu'un nombre effarant de citoyens n'aient pourtant pas accès à un médecin de famille. Elle avait son idée là-dessus et se disait qu'elle pourrait faire partie de la solution.

Mélissa parut découragée à la réunion mensuelle des associés de Valrose. La maternité ne comblait pas tous ses besoins. Sa vie matrimoniale non plus. Elle voulut partager avec ses trois collègues qui en avaient long à dire eux aussi.

— Ça me met en maudit quand j'entends le président de la FMOQ dire que le but ultime, c'est que chaque Québécois ait son médecin de famille. Je crois que c'est possible. Mais le vrai problème, c'est l'accès aux spécialistes.

— Tu me le dis ! répliqua Benoît Raymond. J'ai calculé six mois à un cancer de peau pour être diagnostiqué puis traité en dermatologie. Il y a trop d'intervenants. Yvon Clairoux, dont je vous parlais l'autre jour, l'homme que j'ai vu l'année passée pour ce que je soupçonnais être un cancer de peau sur le nez, a mis six semaines à être vu par le dermato. Il a dû attendre un mois avant de subir la biopsie, trois mois avant de revoir le dermato et deux autres mois avant d'être envoyé à l'Hôpital général juif de Montréal pour être opéré par une dermatologue spécialisée en chirurgie du nez, mes amis, spécialiste du nez! Finalement, le pauvre s'est retrouvé avec un cancer géant, a perdu son nez et a dû subir une reconstruction. J'ai calculé qu'après mon diagnostic, mon monsieur Clairoux a barboté durant trois ans dans le système avant d'être à peu près guéri. Il risque une récidive, en plus. Ça n'a pas de bon sens!

— Imaginez quand c'est une maladie mortelle, comme un cancer du poumon ou un AVC. On est sûrs de ne pas pouvoir les sauver. Ça crée du découragement chez les médecins de famille aussi, ajouta Fabienne.

— On dirait que lorsqu'ils sortent de notre bureau avec un bon diagnostic, on les lâche dans un système composé de médecins sur-spécialisés, qui n'ont pas d'échanges entre eux. Il n'y a pas assez de liens entre les différents intervenants. Il est là, le problème, selon moi. Certains spécialistes, sur-spécialisés, comme tu dis, se comportent comme des divas. Ils mènent les départements comme des bébés la la! lança Mathieu en fixant sa montre. Si j'ai pas plus de temps de salle d'opération, si j'ai pas une infirmière de plus!... C'est décourageant!

Mélissa réfléchissait. Elle rassemblait les idées qui lui trottaient dans la tête.

— Ça prend des médecins qui s'impliquent, commença-t-elle. Moi, je pense que notre clinique est un exemple pour le ministre de la santé. À plus petite échelle, on fonctionne comme un hôpital, non? On a notre pharmacien, nos infirmières cliniciennes, notre radiologie, nos spécialistes et ça tourne rond. C'est quand ça sort à l'extérieur que les problèmes commencent. On a des réunions du personnel et des rencontres mensuelles entre nous quatre où on se dit les vraies affaires.

— C'est une clinique privée, ici. On gère nous-mêmes nos effectifs. L'hôpital est une institution publique, il y a mille intervenants avant que le patient voie le médecin et... il y a les syndicats, intervint Mathieu.

Les autres se mirent à rire.

— Tu ne vas pas nous casser encore les oreilles avec tes syndicats, Mathieu! dit Fabienne. On sait tous ce que tu en penses.

— Reste que les syndicats protègent aussi les paresseux et les incompétents!

— C'est partout comme ça, et pas juste dans les hôpitaux, Mathieu!

— Je sais. Sauf que si le syndicat des livreurs de Pepsi protège des incompétents, ça ne met pas ma vie en danger ! Mais si l'infirmier qui se trompe dans les posologies garde sa place à cause de son ancienneté, ça peut tuer quelqu'un !

— Tu devrais aller en politique, mon chum ! risqua Benoît. Ça prend des médecins engagés pour améliorer le système.

Mélissa se sentit mal à l'aise tout à coup. Elle qui désirait vraiment se mêler d'affaires corporatives, donner son avis sur la marche à suivre du système de santé, qui était prête à redonner leur place aux patients, ne semblait pas être dans la mire de ses collègues pour aller de l'avant.

— Quand les patients payaient pour recevoir les soins de leur médecin, ils étaient quand même mieux servis, déclara Fabienne. Maintenant que c'est gratuit, comme ils le croient, ils deviennent exigeants, manquent de respect et... consomment les soins de santé comme un droit indiscutable.

— On est payés pour les soigner, un point c'est tout ! conclut Mélissa en serrant les poings. Mais il faut plus de cohésion entre tous les intervenants dans les hôpitaux. Comme ici on le fait depuis toujours. Je vais y aller, moi !

— Pars pas tout de suite, on n'a pas fini la réunion, lança Fabienne en riant.

— Je ne veux pas partir. Je veux un poste à la direction de Sainte-Marie.

— Toi ? répliquèrent ses collègues en chœur.

— Pourquoi vous dites ça ? Vous croyez que je ne suis pas assez compétente ? cria-t-elle.

— Non, Mélissa. Au contraire, répliqua Fabienne. Mais tu n'as pas assez à faire avec ta fille malade, ton Pierre, ton bureau et toutes les tâches administratives ? D'ailleurs, dès lundi, c'est ton tour de devenir responsable du personnel de Valrose. Moi, mon mandat est terminé..

— Je crois que je suis très capable. Il y a un poste au conseil des médecins, dentistes et pharmaciens. C'est affiché dans la salle des docteurs. Si je peux réussir à y imposer quelques idées pour améliorer les services aux patients, comme vous les avez décrites tantôt, ce serait un changement pour moi. Ça me donnerait confiance en moi et ça prioriserait la clinique aux yeux des autres membres du CMDP. Il faut que quelqu'un y aille pour améliorer les soins. Je vais y aller.

— Je suis fière de toi, déclara Fabienne en pressant Mélissa contre elle.

— Si t'as besoin de support, dis-le-nous !

— Tu ne vas pas laisser les soins ni la clinique d'obésité, j'espère ? demanda Mathieu.

— Je ne veux pas en faire moins, je veux en faire plus. Ça va changer ma vie.

— Tu en as parlé à Pierre, n'est-ce pas? intervint Benoît. Ça arrive souvent qu'un docteur compte prendre une nouvelle responsabilité et que le conjoint ou la conjointe trouve le moyen de le dissuader.

L'opinion de Benoît demeura sans réponse et le groupe se resserra autour des dépenses mensuelles et des achats à prévoir.

— On va manquer de spéculums et de seringues pour les bébés.

— C'est noté, dit Fabienne.

— Pis, de la Proviodine, de l'alcool et des rouleaux de papier à examen pour les salles d'urgence.

— C'est tout?

— Y'a des cliniques qui chargent aux patients les seringues, le fil à suturer, le désinfectant. C'est Georges Bouvier qui m'a raconté ça. Faudra pas s'arranger pour que nous soyons obligés de faire pareil ici, répliqua sèchement Mélissa.

— Meilleur système de santé au monde, ouais... grommela Benoît Raymond.

— C'est comme le système scolaire. Ils racontent que l'éducation est gratuite. Pour Hubert, cette année — et il fréquente l'école publique — ça a coûté à sa mère — en fait, c'est moi qui paye — près de six cents dollars en frais divers. Les livres, les sorties au musée, les cahiers, les frais de réparation des instruments de musique. Savez-vous combien ça coûte, des cordes de violon, vous autres?

— C'est une école spéciale. Une école publique qui a un projet en musique, c'est sûr que ça coûte un peu plus, Mathieu, opposa Fabienne.

— Mais ça vaut la peine! ajouta Mathieu. À Noël, ils ont chanté en six langues différentes, dit-il, la voix chevrotante.

— Les services spécialisés sont monnayables, mon cher. Comme dans une clinique! conclut Benoît sur une note sarcastique.

***

Pierre ne l'entendit pas de la même manière. Il venait de lire que trente-six bébés étaient décédés en Haïti en une seule semaine des suites du VIH. Infectés par leur mère durant leur croissance dans l'utérus. L'état de santé de Roselyne allait en dents de scie. Elle devait toujours avaler ses médicaments, subir des analyses sanguines et ses parents devaient se méfier de tout. Sa pneumonie était chose du passé, mais avait laissé un sentiment d'angoisse dans la tête de Pierre. Il allait même jusqu'à souhaiter que Mélissa porte un bébé bien à eux, comme Fabienne qui semblait plutôt fertiles. Un enfant qui leur ressemblerait, qui ne ferait pas tourner les têtes à cause de la surprise, mais pour les bons motifs qui font qu'on se retourne sur les bébés parce qu'ils sont mignons. Pierre aimait Roselyne et se comportait en père aimant et responsable, mais quelque chose de plus profond l'agaçait.

Sa relation avec Mélissa avait changé. Il se moquait de ses amis de collège qui prétendaient que les hommes ne sont pas à l'aise quand leur conjointe reçoit un plus gros salaire qu'eux. Se pouvait-il qu'ils aient raison ? Et puis, il y avait l'admiration excessive de leurs amis devant la profession de Mélissa. « Tiens, Pierre, tu t'es payé un docteur au cas où tu serais malade ? » entendait-il trop souvent. Et puis, elle n'était pas assez présente pour s'occuper de la petite. Pierre prétendait que lorsqu'on prend la décision d'adopter un enfant, il faut être plus engagé. S'il le pouvait, il mettrait son travail de côté et demeurerait à la maison avec elle. En adopter un autre, peut-être.

Il allait en parler à Mélissa.

Quand elle finit par revenir à la maison avec Rose-lyne, Pierre était en train de siroter un scotch sur glace en faisant tinter les cubes contre la paroi de son verre. Mélissa l'embrassa avec une ferveur plutôt tiède.

— T'as passé une bonne journée ? demanda-t-il par habitude. Nous, on a eu enfin McTyre & Sothe-by's. Gilles était heureux. Il a payé la tournée à tout le monde.

— Je vois que tu as continué à fêter. Notre meilleur scotch, en plus.

Roselyne sauta sur son papa en lui martelant les cuisses de ses petits pieds énergiques.

— Et toi, ma Rose ! Tu as joué avec tes amis à la garderie ? Tante Dora était de bonne humeur ?

— Elle nous a raconté une *hispoire* de renard. Il s'appelait Honoré et il faisait un *pestacle* avec ses amis. Tu veux que je te la raconte ?

— Tu me la raconteras avant le dodo, tu veux ? Va jouer avec tes méga-blocs. Papa veut discuter avec maman, ajouta-t-il.

— Mais tu ne l'as pas vue de la journée, franchement, Pierre ! le sermonna Mélissa.

— Toi non plus. C'est ça la différence, madame la docteure ! Avant, les papas ne voyaient pas leurs enfants de la journée, mais les mamans, elles, les voyaient.

— Tu ne vas pas me reprocher de travailler, mon mautadine ?

— Non, mais ne me reproche pas de vouloir qu'elle aille jouer dans la salle de jeux. Je veux te parler. Tu veux un drink ? Allez, ça va te relaxer. Tu m'as l'air tendue, ma Mel d'amour.

— Mais tu es pompette, toi ! Tu en as bu combien ?

— Seulement deux petits scotchs de rien du tout !

Il se mit à la caresser avec un peu plus que de la tendresse. Elle connaissait ces gestes amoureux qui allaient les mener à passer au lit plus tôt pour faire l'amour. Mais elle était fatiguée et ils avaient beaucoup de choses à se dire.

Après le repas, ils baignèrent Roselyne, puis, vers 19 heures, Pierre se proposa d'aller la coucher puisqu'il avait promis d'écouter « l'hispoire » de tante Dora. Le renard donna son « pestacle » en quelques secondes, alla se coucher à son tour. Pierre observa Roselyne avant d'éteindre la lumière et de refermer la porte, en se disant combien il était chanceux de cette vie qui lui était accordée.

— Tu voulais me parler ? demanda Mélissa entre deux baisers.

— Oui. Je vais donner ma démission. Qu'est-ce que tu en penses ?

— Quoi ? Tu as trouvé mieux ailleurs ? Tu ne vas pas partir ta propre affaire !

— Non, je ne vais pas partir ma compagnie. J'ai trouvé un autre emploi beaucoup plus motivant.

— Mais qu'est-ce qui pourrait plus te motiver après toutes tes études ? Le salaire ?

— Non, je ne serai pas payé du tout.

— Arrête, Pierre ! Tu m'agaces, là !

— Non, je te dis que je ne serai pas payé. Oh, quelques dollars du gouvernement. Pour payer les petites choses.

— Je ne comprends pas.

— Je vais rester à la maison pour m'occuper de Roselyne.

C'était dit. Pierre semblait tellement fier de sa décision qui, en réalité, ne se trouvait qu'à l'étape de la consultation, comme lui aurait dit son patron. Or, la consultation semblait faire l'effet d'une bombe. Mélissa ne savait pas quoi répliquer tant elle était secouée. Elle serait la seule pourvoyeuse de la famille. Elle pourrait toujours compter sur Pierre pour assurer une présence auprès de leur fille. Puis, se dit-elle, il pourrait jouer de la serpillière et de l'aspirateur. Le silence se prolongeait. La détermination de Pierre ne tarissait pas.

— Tu y as bien réfléchi?

— Bien sûr. On ne lance pas pareille décision sans avoir réfléchi, mentit Pierre. Ça fait depuis l'enlèvement de notre bébé que j'y pense. Il y a de plus en plus d'hommes qui choisissent de rester à la maison.

— Tu vas aussi préparer les repas? Et faire le lavage? Et jaser avec la voisine en étendant le linge sur la corde? Et écouter *The best season* à la télé?

— Si une femme est capable de faire tout ça, imagine, moi! lança Pierre sur un ton volontairement sarcastique.

— Écoute, mon chéri. Sers-moi un scotch double, avec deux glaçons. Il faut que je m'en remette. Et tu comptes donner ta démission quand?

— Vendredi.

— Ce vendredi? Mais c'est après-demain!

— Mesure drastique. Je deviens aide naturelle auprès d'une petite bobinette malade. Gilles ne va pas être trop surpris. Je me suis même trouvé un remplaçant parmi les jeunes stagiaires. Jeune et ambitieux. Je vais aussi proposer à mon patron un médecin de famille pour le reste de ses jours. C'est une offre qu'il ne pourra pas refuser, conclut-il en versant le scotch sur les glaçons. Qu'est-ce que tu en penses?

— On va s'asseoir. Moi aussi, je voulais te parler.

— Oh, oh! J'espère que tu n'as pas décidé d'abandonner la médecine, parce que je suis trop orgueilleux pour vivre de l'assistance sociale.

— Grand fou, va! D'abord, les choses sérieuses.

Mélissa commença à se dévêtir. Pierre comprit assez vite ses intentions.

— C'est toi qui commences, souffla-t-il.

— Non, c'est toi qui as commencé avant souper.

— Non, c'est toi.

En trois minutes, leurs vêtements étaient éparpillés sur la moquette du salon. Ils se dirigèrent vers la chambre, en zigzaguant entre les jouets abandonnés sur le parquet, en riant et refermèrent la porte, sans bruit. Si souvent, ils avaient dû éteindre leur ardeur sexuelle parce que Roselyne se réveillait au moindre son. Si souvent, ils devaient faire vite pour répondre aux besoins de leur petite fille.

Ils tendirent l'oreille. Aucun bruit dans la maison qui pût leur faire croire qu'ils seraient dérangés. Pierre savait qu'il avait pris la meilleure décision. Mélissa se laissait glisser pour une rare fois dans une douce indolence, libérée d'un poids qui, d'habitude, l'empêchait de bien profiter des caresses audacieuses de son amoureux, comme retenue par une sorte de pudeur indue. Se pouvait-il qu'elle accueille la nouvelle avec enthousiasme? se demandait Pierre en plongeant sous les draps. Quelle femme ambitieuse refuserait que son conjoint veuille s'occuper de son enfant et de la maisonnée? De fait, Mélissa prouva qu'elle pouvait prendre toutes les responsabilités dans leurs ébats intimes. Et qu'elle pourrait prendre sur elle la bonne marche de leur vie quotidienne. Elle mit à peine cinq minutes pour grimper au faîte de ses ambitions sexuelles, et ne se gêna pas pour les exprimer, elle qui savait se garder de faire le moindre bruit pouvant réveiller la petite. Cette fois, lorsqu'il prit le pétoncle entre ses lèvres serrées, elle couina sans se retenir. Après tout, papa serait là pour se rendre au chevet de Roselyne.

Il était presque minuit quand Pierre et Mélissa reprirent le cours de leur vie avec la satisfaction du travail bien fait. Ils ne revenaient jamais sur leurs performances comme le suggéraient les sexologues rencontrés lors de leur formation en médecine familiale. Cette fois, Pierre ne dit que :
— Waooo !
— Quoi ?
— Tu es en feu, mon amour.
— Tu trouves ?
— Ouais. Je trouve.
Il l'embrassa tendrement sur le front à plusieurs reprises.
— C'est insultant ! C'est comme si avant ce soir, c'était ennuyant ! dit-elle en riant.
— Pas du tout ! Avoue que c'était excitant. Comme si un gros nuage flottait au-dessus de nos têtes depuis qu'on a adopté Roselyne. Et...
— Et que ce soir, j'ai appris que je ne serais plus seule pour m'occuper de tout. Que tu veuilles demeurer à la maison avec la petite, et t'occuper de la maison... pour que je puisse exercer ma profession plus... plus librement, Pierre, c'est trop fou ! Je me sens tellement bien !

Pierre la prit contre sa poitrine et lui bécota les cheveux.

— Et toi, tu voulais me parler. Un projet ?

Elle se mit à rire. Diminuer ses heures de bureau pour prendre davantage de responsabilités administratives allait certes paraître sur son salaire annuel. Elle prit une longue inspiration :

— Finalement, je n'avais rien à te dire. Tu as répondu tout à fait à mes questionnements. On devra compter sur mon salaire uniquement, maintenant que tu joueras à la nounou à la maison.

— Ça va coûter moins cher de vêtements, de repas au restaurant, de garderie, d'essence, de cadeaux au parti libéral de Gilles Gagné, de cadeaux lors de la journée des secrétaires. Et notre enfant sera plus heureuse. T'as remarqué qu'elle se ronge les ongles depuis que la garderie a embauché deux nouvelles gardiennes ? Moi, oui.

— Ce sera merveilleux. Je pourrais ajouter quelques heures de bureau… peut-être ?

— Tu pourras.

7

Quand elle pénétra dans le bureau de la docteure Lanthier, cette dernière n'eut pas le loisir de bien consulter son dossier. Une nouvelle patiente. Environ 65 ans. Menue, cheveux blancs soumis à une permanente, un visage de douceur baigné dans la timidité.

— Madame Lachance, vous avez dit à ma réceptionniste que vous n'aviez pas de médecin de famille.

— Non, je n'ai jamais eu de médecin de famille. J'ai cependant consulté quelques fois un pneumologue pour des infections virales.

— Grossesses ?

— Trois, par césariennes.

— Donc, vous avez consulté souvent. À quel endroit ?

Fabienne croyait que la dame provenait d'un autre coin du Québec et qu'elle désirait s'inscrire à la clinique Valrose.

— Vous venez pour quelle raison ? demanda-t-elle à madame Lachance.

— Je suis nouvellement à la retraite et...

— Qu'est-ce que vous faisiez ?

— Omnipraticienne.

— Oh !

Fabienne consulta les éléments d'information sommairement consignés dans le dossier de la patiente. Nulle part la réception n'avait-elle indiqué que Marie-Claire Lachance était médecin. Pas que c'était un oubli grave, mais Fabienne se dit que si elle avait su, elle aurait abordé sa patiente d'un tout autre angle.

— Où avez-vous travaillé ?

— À Montréal. Clinique Paré. Durant 43 ans. Suis à la retraite.

— Oui, je connais un de vos collègues, le docteur Kirouac. Je l'ai rencontré au congrès sur la douleur le mois dernier.

— Oui, la douleur... répondit la patiente sur un ton évasif.

— Alors, je suis flattée que vous m'ayez choisie et que vous ayez opté pour Valrose.

— Vous avez bonne réputation.

— Que vous arrive-t-il ?

— Dépression, je pense, glissa la docteure Lachance. Je ne le prends pas. J'ai été tellement occupée durant toutes ces années ! Je sens que je ne sers plus à rien. On a eu tellement besoin de moi. Mes patients avaient besoin de moi et il a fallu que je me rende à l'évidence. J'avais du mal à me rappeler certaines choses importantes et j'ai eu peur de faire une erreur, euh... définitive. C'est l'erreur définitive qui nous conduit à la fin. Le jour où l'on commet l'erreur fatale. J'ai voulu partir avant que ça m'arrive. Mais j'étais encore capable, vous comprenez ? Le gouvernement a porté l'âge de la retraite à 67 ans. J'ai fermé mon bureau, mais j'étais encore capable.

— Vous auriez pu vous occuper de maisons pour personnes âgées, de compagnies d'assurances... observa Fabienne.

— Ah, le permis du Collège des médecins est rendu à 1400 $. C'est cher pour avoir le droit d'exercer un métier qui sauve les malades, mais qui peut aussi nous éclater en plein visage ! Payer un permis pour exercer une profession et risquer que le Collège m'accuse d'une erreur professionnelle, c'est prendre un grand risque ! Ça m'a toujours enragée de devoir payer cher un permis et que cette institution de vieilles barbes soit là pour défendre le patient quoi qu'il arrive ! J'ai passé plus de quarante ans à m'impliquer dans les associations régionales, à la Fédération des médecins omnipraticiens du Québec, à rédiger des articles pour des magazines spécialisés, à donner des conférences dans les écoles, à organiser des cliniques de vaccination pour les démunis, à faire de l'enseignement universitaire. J'ai toujours été très active et quand je vois les jeunes médecins... compter cinq cents patients sur leur liste, ne faire que ce qui leur est obligatoire...

— Mariée ?

— Deux fois, mais je suis seule depuis dix ans. Les hommes ne pouvaient pas accepter mon train de vie. J'étais trop occupée. J'ai commencé à pratiquer juste à l'arrivée de la castonguette. J'ai bien connu Claude Castonguay. Il y a dix ans, il a suggéré un ticket modérateur pour limiter la surutilisation des soins gratuits par les patients. Je me rappelle lui avoir dit que j'avais refusé de continuer à suivre un patient qui persistait à fumer malgré une récidive de cancer du poumon. Et que le patient était allé se plaindre au Collège. On m'a convoquée sur René-Lévesque à Montréal, le jour de ma fête.

— Comment ça s'est passé ?

— Le patient est mort avant que j'aille en audition devant le comité de discipline.

— Et la famille ?

— Il n'avait aucune famille. Je crois qu'il voulait me nuire. Il était tombé amoureux de moi. Un gros bonhomme malade. En amour avec moi ! conclut-elle avant de se mettre à rire. Je l'ai soigné pendant plus de trente ans. Il n'a jamais perdu un seul kilo et n'a jamais cessé de fumer ses deux paquets de cigarettes par jour.

Deux cancers. De la chimio. Il est descendu aux enfers. Je l'ai vu la dernière fois à l'hôpital, il pesait à peine cinquante kilos. Le pauvre.

La docteure Lachance se mit alors à pleurer, recroquevillée au fond de son fauteuil. Fabienne, cette fois, ne savait pas quoi dire. Une collègue. Une femme dévouée jusqu'à l'amertume. Était-ce donc le prix à payer pour exercer une médecine centrée sur le patient lui-même et rien pour le thérapeute?

Mille pensées défilèrent dans la tête de Fabienne. Elle se mit à songer à Pierre-André et à son faux dévouement, à ses fautes qui avaient brisé plusieurs vies, la sienne, mais aussi celle de leur fils.

Elle posa la main sur son ventre. La vie y prenait sens. Son père avait souhaité qu'elle garde cet enfant. Elle avait d'abord songé à l'avortement. Un de ses professeurs à l'université passait la majeure partie de sa pratique à la clinique Saint-Paul, spécialisée dans les avortements. Elle se souvint que lorsqu'elle était entrée en médecine, plusieurs des amies de sa mère y avaient eu recours. Il y avait alors un long question-naire, puis une entrevue avec une travailleuse sociale, une infirmière et un médecin qui émettaient des doutes face à la jeune fille qui tremblait devant eux, pour la rendre consciente de la gravité de son geste, mais surtout pour s'assurer que l'avortement ne deviendrait pas, chez la nouvelle génération, un moyen contraceptif banal. Après leur stage en gynécologie, une poignée de jeunes femmes médecins avaient réussi à changer les choses. La liberté de choix sans questionnement, sans cette obligation de réfléchir jusqu'aux remords, sans compte à rendre à qui que ce soit. Les cliniques d'avortement ouvrirent sous les auspices charitables de médecins et d'infirmières consciencieux et les jeunes femmes purent prendre leur vie en main sans ambages. Mais Fabienne n'allait pas se faire avorter. Elle allait donner à Emmanuel un demi-frère ou une demi-sœur et rendre Benoît heureux.

Rendre les autres heureux. Était-ce un objectif en soi ? Fabienne se rappela une cartomancienne qui lui avait dit qu'elle devait surtout penser à son propre bonheur avant de se consacrer à celui des gens qui l'entouraient. Elle aimait Benoît, bien sûr. Elle voulait un autre enfant pour elle-même, pour faire plaisir à Emmanuel et aussi à son conjoint. Mais elle aimait encore Pierre-André. Elle en avait honte chaque fois qu'elle pensait à lui. À ses mains fines aux doigts équarris, à ses longues jambes, à ses fesses rondes, à son sexe généreux. Mais surtout à son ton souvent sarcastique, à sa vision de la pauvreté, à son généreux sens des autres. Elle savait qu'il avait été mal conseillé, qu'il s'était fait contaminer par Frankenstein, qu'il se sentait utile quand il avait travaillé à Jacmel à la clinique du diable. Et qu'il avait assez expié. Elle avait beau retourner sa vie sentimentale dans tous les sens, elle n'arrivait pas à oublier Pierre-André.

— Vous aimeriez prendre un antidépresseur ? Il y a une nouvelle génération de médicaments avec des effets secondaires à peine perceptibles.

— Allons, ça fait dix mois seulement que j'ai pris ma retraite ! Je les connais, vos nouvelles pilules !

Puis Marie-Claire Lachance se mit à rire et entraîna Fabienne dans son hilarité. Puis, elle ajouta :

— Je ne désire pas en prendre. Je sais que votre temps est compté, Docteure Lanthier, mais j'avais besoin de vous parler.

— Aujourd'hui, j'ai tout mon temps, Docteure Lachance.

— Je crois que j'ai été trop vite. J'aurais dû attendre pour renoncer à mon permis du Collège. Mais il faut prouver qu'on est engagé quelque part dans une clinique, dans un centre hospitalier... dit la vieille dame d'une voix tremblante.

— Vous n'aurez qu'à y adhérer de nouveau. Il y a une foule d'activités dans lesquelles vous pourriez vous impliquer. Surtout celles qui répugnent souvent aux jeunes docteurs. La gériatrie, par exemple. C'est certain que ce serait souhaitable que les jeunes soignent les personnes âgées au lieu de demander automatiquement aux vieux médecins de faire de la gériatrie. C'est incroyable de constater à quel point il est rarissime que les jeunes choisissent de prendre soin des vieux patients. Ça les écœure, on dirait.

— Ou ça les révolte, répliqua la docteure Lachance d'un air triste. Ils ont de l'énergie, ils brûlent la chandelle par les deux bouts, ils font de l'obstétrique, de la pédiatrie, de l'urgence. Ça, c'est ce que la population connaît le mieux. C'est aussi ce qui crée l'admiration. La gériatrie, c'est comme ramener les passagers à la gare au retour d'un long voyage : on préfère les conduire vers le lieu de villégiature, c'est plus excitant, c'est la mer, le soleil, les moments de détente. Tandis que le retour, c'est de nouveau l'enfermement, le travail, la platitude. Moi, je suis de retour. Je suis moi-même une personne âgée. Que puis-je attendre de plus que de m'éteindre, de me taire ? Pourtant, les personnes âgées sont les patients les plus obéissants.

— Ah, ça oui ! renchérit Fabienne.

La docteure Lachance se leva, fit le tour de son fauteuil en fixant le plafonnier comme si elle affrontait le soleil, en plissant les yeux. Un long silence. Fabienne crut alors que sa patiente venait de prendre une grave décision. Son regard s'était illuminé et Fabienne sut qu'elle y était pour quelque chose. Aussi respecta-t-elle cette pause nécessaire. En fait, à cet instant, elle croyait dur comme fer que la docteure Lachance allait se dégoter une petite mission tranquille dans un couvent de vieilles religieuses ou porter une attention toute spéciale à un centre d'hébergement privé ou aux examens réclamés par une compagnie d'assurances à ses clients. Tout à coup, comme dans une explosion, la patiente s'écria :

— Merci, Docteure Lanthier ! Même si j'ai déjà cru que votre génération et la mienne n'étaient pas faites pour s'entendre, que nous avions des idéaux diamétralement opposés, soigner les faux malades et les citoyens qui croient que tout leur est dû, reste le lot de tous les disciples d'Hippocrate. « Je dirigerai le régime des malades à leur avantage, suivant mes forces et mon jugement, et je m'abstiendrai de tout mal et de toute injustice. Je ne remettrai à personne du poison, si on m'en demande, ni ne prendrai l'initiative d'une pareille suggestion ; semblablement, je ne remettrai à aucune femme un pessaire abortif. Je passerai ma vie et j'exercerai mon art dans l'innocence et la pureté. » Voilà un bout du serment que j'ai appris par cœur. Et je m'en souviens encore aujourd'hui ! Imaginez, Docteure Lanthier, si l'on croyait encore à ce serment d'hypocrites combien de médecins seraient des pécheurs, des parjures et de malheureux bouffons ! La guérison des malades est la seule reconnaissance de toutes nos heures consacrées à ceux qui ont un réel besoin de nous. Merci beaucoup ! Vous ne pouvez pas savoir le bien immense que vous m'aurez procuré. Mon ami Levasseur avait bien raison de me conseiller de venir vous voir. Et j'ai bien fait de l'écouter ! Je vous rappelle dès que je peux !

La docteure Lachance avait lancé tout ce flux de paroles à une vitesse vertigineuse, sans accroc ni hésitation. Elle venait de rencontrer Saint-Paul sur son chemin de Damas. Elle serra la main de Fabienne et sortit du cabinet avec un enthousiasme fiévreux. Fabienne ne la quitta pas des yeux, arborant un large sourire. Aux quelques patients qui attendaient que la docteure Lanthier les appelle, la docteure Lachance lança du bout du corridor :

— Je n'ai que soixante-sept ans, figurez-vous !

Puis, elle disparut à l'extrémité du couloir qui menait à la sortie en passant devant la réception. Jeanne vit sortir un cheval fougueux, une flèche sifflante, une locomotive puissante. Une autre à qui la docteure Lanthier aura su transmettre son énergie.

Ce n'est qu'à la fin du mois suivant que Fabienne put lire dans *Le Bulletin de l'omnipratrique* que l'Université de Montréal pourrait désormais compter sur trois nouveaux médecins, dont la docteure Marie-Claire Lachance, leur membre la plus respectable, pour accompagner des étudiants en médecine au Mali où une recrudescence de tuberculose sévissait depuis quelques mois. Ainsi devenait-elle « patron », indiquant à ses étudiants comment procéder à tel examen ou utiliser tel appareil quand il y en avait un de disponible, évidemment. Elle pouvait aussi enseigner nos méthodes occidentales à des étudiants maliens qui, souvent, n'avaient même pas appris à se servir d'un otoscope et ainsi, n'avaient jamais vu l'intérieur d'une oreille. Au Mali, ils manquaient de tout, avait lu Fabienne. Bien sûr, on leur faisait parvenir des appareils usagés encore fonctionnels, mais on oubliait les piles pour les faire fonctionner. On envoyait un incubateur pour les cultures, mais sans les pétris, essentiels pour y déposer les matières à analyser. Et comme les étudiants ne connaissent pas ces dispositifs, ils ne pouvaient pas savoir qu'il manquait des éléments nécessaires à leur fonctionnement. Alors, ils les remettaient dans leur boîte qu'ils oubliaient dans un cagibi avec d'autres appareils inutilisables.

La docteure Marie-Claire Lachance savait tout cela, mais avait besoin de se sentir utile à quelqu'un. Fabienne savait que sa patiente agirait en sauveur. Et elle fut ravie d'avoir été à la source même de sa décision.

***

Benoît Raymond n'arrivait pas à s'endormir et après avoir infusé trois tisanes au tilleul et canneberges, il conclut qu'il devait absolument parler à Fabienne.

Jamais, au contraire de toutes les femmes qu'il connaissait, Fabienne ne parlait de sa grossesse, n'en narrait avec application les lentes étapes, ne cherchait à cambrer les reins pour faire valoir son abdomen. Jamais ne préparait-elle Emmanuel à l'arrivée de son petit frère ou de sa petite sœur qui demeurait encore pour lui un concept éthéré. Tous les jeunes enfants s'imaginent que le petit frère va sortir du ventre de leur maman et que, dès cet instant, il jouera avec des Lego ou se mettra à dessiner de vilains robots. Ils ne se doutent pas qu'une longue attente meublée d'échanges plutôt décevants les séparera de ce petit être qui mettra une éternité avant de cesser de baver, de faire pipi dans sa couche, de mordre et de monopoliser maman.

Benoît était follement amoureux et la perspective d'un enfant, son enfant, le comblait. Mais il y avait une ombre qui flottait au-dessus de ce bonheur tranquille sans qu'il puisse l'identifier précisément. Une sorte de frein à la marche d'enfer qu'était devenue sa vie. Ah, Fabienne! Il demeurait tellement jaloux! Jaloux des souvenirs qui ne la quittaient pas, jaloux des odeurs des chemises de son Pierre-André qu'elle avait conservées dans le fond de son placard, parmi ses robes de coton, ses chemisiers de soie et ses robes de nuit. Il était devenu jaloux de vêtements froissés! Puis, il y avait son album photos et des images de lieux qu'ils avaient visités, son ennemi et elle. Il semblait à Benoît qu'il n'arrivait pas à habiter toute la place. Quelqu'un rendait son bonheur flou comme une photo qui ne serait pas vraiment au foyer.

Étranges destinées que celles des enfants de Fabienne qui allaient grandir comme deux frères, espérant réconcilier leur mère avec ses deux amours.

Une rencontre avec les deux représentants de la pharmaceutique britannique Purfect avait lieu ce soir-là pour les médecins désireux de se perfectionner sur la douleur chronique. Fabienne y assisterait. Benoît se hâta pour ne pas l'indisposer, car elle lui reprochait toujours d'être en retard.

Purfect avait envoyé ses meilleurs représentants depuis le fameux sondage qui avait révélé que les soupers gastronomiques, les soirées à l'opéra ou au théâtre ne changeaient nullement les habitudes des médecins de prescrire tel médicament plutôt qu'un autre. Sauf si le représentant était un être prétentieux.

Benoît avait remarqué que les patientes, surtout elles, réclamaient les remèdes annoncés dans les revues américaines ou ceux qu'avalait leur belle-sœur pour la même maladie. Souvent, si les médecins prescrivaient les remèdes génériques, les patients exigeaient les originaux. Motrin, Tylénol, Anaprox. Ne leur parlez pas d'ibuprofène, d'acétaminophène ou de naproxène sodique! Benoît savait que Fabienne et les autres médecins de famille de Valrose étaient peu enclins à encourager les pharmaceutiques qui les choyaient le plus. Cependant, il était notoire que les représentants trop harcelants et démontrant un sans-gêne agaçant voyaient « leurs docteurs » repousser les médicaments de la compagnie pour laquelle ils travaillaient. Les deux représentants de la compagnie Purfect — anciennement Thompson-Purfect de Londres —, appelés communément le duo Lambert-Royer, n'avaient pas, quant à eux, trop de mal à encourager les médecins de la région à prescrire leurs produits reconnus pour soulager la douleur chronique reliée à des affections singulières méconnues des médecins de famille, mises au rancart par les psychiatres et traitées de maladies psychosomatiques par certains autres, même par les malades eux-mêmes. La fibromyalgie était de celles-là.

Ce soir-là, les participants pouvaient compter sur la présence de la docteure Chrystine Chassé dont la réputation était reconnue par les sommités médicales dans les hôpitaux universitaires. La docteure Chassé était, en réalité, appréciée partout dans le monde pour ses travaux et son enseignement sur la douleur chronique. Quand elle avait compris que la douleur, qui fait partie du quotidien de ses patients, était incomprise ou pire, niée par la plupart de ses confrères,

Chrystine Chassé en avait fait son cheval de bataille. «La fibromyalgie, qui touche majoritairement les femmes, est considérée par les médecins, incapables de la soigner, comme une maladie reliée aux hormones, à la ménopause ou aux problèmes touchant la vie conjugale», avait-elle annoncé en début de conférence. Une étude peu sérieuse avait même relié la fibromyalgie aux personnes les moins instruites parmi la population francophone du Canada, étude vertement critiquée par la docteure Chassé.

Pour elle, convaincue de la gravité de ces affections, la douleur chronique devait devenir, en toute priorité, le centre de toutes les recherches et le sujet le plus étoffé du cursus de l'étudiant en médecine.

Selon la docteure Chassé, les spécialistes, surtout les radiologistes, pour lesquels la douleur chronique était une «vue de l'esprit», désiraient pratiquer la médecine SANS la présence du patient.

* * *

Le restaurant était comble. Valrose était fièrement représentée, de même que les autres cliniques de la région. Le restaurateur était ravi de «prêter» son établissement à cette docte assemblée. Purfect payait bien et ses deux représentants appréciaient les services de leur hôte. Ce qui était bien avec des groupes de médecins, c'est qu'ils appréciaient les mets recherchés et les bons vins. Le propriétaire, d'origine milanaise, disposait également d'un écran de qualité pour la présentation visuelle de la conférence.

Benoît s'était assis auprès de Fabienne qui exhalait son parfum préféré, *La petite Robe noire* de Guerlain. Il ressentit tout à coup le goût irrépressible de lui faire l'amour sur la nappe blanche, repoussant avec violence les assiettes de fine porcelaine et les ustensiles Christofle, les coupes de cristal, sous les hauts cris du propriétaire, un petit Italien court sur pattes et au col de chemise trop serré qui lui rendait la face cramoisie. Benoît n'aimait habituellement pas ces conférences répétitives où chaque présentateur avait une opinion différente sur une même maladie. Chacun venait de lire une nouvelle étude qui réfutait la précédente en recommandant, bien sûr, le médicament promu par la compagnie pharmaceutique qui était l'hôte de la soirée. Pour le diabète, par exemple, les médecins de la clinique Valrose avaient été informés de cinq médicaments et insulines opposés qui provoquaient des effets secondaires désagréables. À la surprise générale, ils en apprirent beaucoup, comme si leur cours de médecine avait carrément sauté cette matière. La docteure Chassé était passionnante, drôle, sarcastique. Elle ne craignait pas de démolir tous les diktats de la science pharmacologique de ses collègues, mais ne prônait pas à tout prix les médicaments de la compagnie Purfect qui l'avait embauchée ce soir-là. Elle se contentait de transmettre ce qu'elle avait appris en concentrant ses recherches sur la douleur chronique. Elle raconta surtout que les médecins qui lui confiaient un patient en consultation, avaient la mauvaise habitude de s'en laver les mains et de pelleter le patient dans la cour du spécialiste, allant jusqu'à refuser de revoir le patient, une fois la douleur sous contrôle.

— On m'envoie des patients qui souffrent terriblement et qui, je n'en doute pas un instant, n'ont aucune qualité de vie, insistait la docteure Chassé. Je trouve un moyen de les soulager, mais attention! je ne guéris pas la source de leur mal. Une fois que j'ai réussi à dompter leur douleur grâce à la bonne médication, ils doivent revoir le médecin de famille ou l'oncologue qui nous les a référés. Il faut voir le patient dans son ensemble. Quand j'ai constaté que les patients souffrants n'arrivaient pas à revoir leur psychiatre, leur oncologue ou leur médecin de famille sur une base régulière après m'avoir rencontrée, j'ai exigé une signature au bas de mon formulaire de consultation qui oblige les médecins à continuer à suivre leur patient. Pas plus compliqué que ça! Si vous m'envoyez un patient atteint de fibromyalgie, vous devrez vous engager à le revoir aussi longtemps qu'il le faudra.

Autre chose : il faut que la douleur chronique devienne un sujet prioritaire dans le cours de médecine. Durant tout le cours ! La douleur fait partie de la maladie. C'est ainsi qu'elle se manifeste et qu'elle indique le sérieux de la situation ! Les docteurs ont l'obligation de soulager leurs malades. Trois mots sont importants et il faut se les rappeler : dodo, psycho et bobo. D'abord le patient avoue avoir du mal à dormir ce qui lui cause des troubles psychologiques — psycho —, puis la douleur — bobo — explose, irradie, et fait parfois souhaiter la mort. Et c'est là que vous et moi devenons indispensables en prescrivant de la méthadone pour la douleur neuropathique et des narcotiques pour la fibromyalgie, les accidents de voiture, ou l'arthrose sévère. Ainsi, je répète :

- considérer le patient dans son ensemble.
- pratiquer une médecine axée sur le malade.
- dodo, psycho, bobo.

Lorsque la docteure Chassé eut conclu sa conférence avec une touche d'humour, ses auditeurs ne purent s'empêcher de discuter entre eux de la douleur chronique chez de nombreux patients qu'ils n'arrivaient pas à soulager malgré une pharmacopée efficace, mais que l'assurance collective refusait de payer. Chacun y allait de ses expériences personnelles. Les choses avaient déjà commencé à changer.

Fabienne surprit ses collègues en demandant :

— Et la douleur psychologique qui sévit sans jamais offrir de répit ?

Mélissa pensa aussitôt à Pierre-André Caron que son amie n'arrivait pas à oublier. Mathieu songea à ses deux enfants, à ces nuits d'angoisse durant lesquelles il se recroquevillait au centre de ses draps froids. Mélissa pensa, elle, à ses patientes qui souffraient à cause de la mort d'un de leurs enfants.

Tous, ils avaient été ébranlés par le discours avant-gardiste de la docteure Chassé. Ils se promirent qu'ils allaient s'intéresser en priorité à la douleur chronique avec plus de vigilance. Benoît Raymond se promit de parler à Fabienne.

8

— Tu l'aimes encore ? se borna-t-il à lui demander.

— De qui parles-tu ?

— Tu sais très bien que je parle de Pierre-André,
appuya Benoît. On dirait que tu fais l'innocente exprès !

Fabienne était davantage agacée que vexée que
son amoureux lui pose encore la question. Elle ne
supportait pas les gens jaloux. Elle lui retourna cruel-
lement la question :

— Toi, tu as déjà oublié ta Béatrice ? C'est normal
que tu aies conservé son bracelet, sa bague de mariage,
ses chaussures de peau de soie ?

— Ce n'est pas pareil ! cria-t-il.

— Pourquoi ce n'est pas pareil ?

— Parce que Béatrice, elle, a été assassinée !

— Pierre-André lui, il est enfermé dans une prison infecte. Il est toujours vivant, lui ! J'essaie d'agir comme s'il était mort, tu sauras !

Benoît savait qu'il risquait gros s'il continuait à aller dans ce sens. Il s'excusa, puis pressa Fabienne contre lui avec l'impression douloureuse de la consoler. La chose qu'il craignait le plus était que Pierre-André Caron sorte de sa geôle et qu'il revienne reprendre ses droits sur Fabienne et Emmanuel.

Benoît Raymond avait toujours été jaloux. Jaloux des hommes que fréquentait Béatrice. Jaloux des odeurs étrangères qu'exhalait son épiderme quand elle revenait de la Maison Soleil. Jaloux des paroles singulières qu'elle susurrait à ses patients et qu'eux seuls pouvaient emporter dans l'Au-delà. Ainsi était-il également jaloux de tout ce qui touchait Fabienne Lanthier.

Il tentait de s'en corriger comme il s'était guéri de l'alcool depuis quelques années. C'était peine perdue. Pierre-André Caron se tenait entre Fabienne et lui, les mains au travers des barreaux de sa prison.

* * *

La Clinique d'obésité Valrose fut l'objet d'un long reportage dans le cahier week-end de *La Presse*. La journaliste responsable de la rubrique Santé avait entendu dire que les patients affluaient et qu'il n'y avait plus de place disponible, comme pour la pièce *Cyrano de Bergerac* au TNM. Le long article relatait le mode d'emploi de la diète mise sur pied par le docteur Mathieu Crevier et la diététicienne de la clinique Marie Tremblay-Côté, l'exercice physique rendu facile et agréable, les rendez-vous réguliers qui avaient nécessité l'embauche de nouvelles infirmières cliniciennes fraîchement émoulues de l'université. La journaliste rapportait l'ouverture de deux autres cliniques basées sur le même modèle, l'une à Montréal et l'autre en Beauce, sur la vague de l'engouement que Valrose suscitait.

« Tout le Québec perdra des milliers de kilogrammes et des dizaines de McDonald's devront fermer leurs portes », écrivait la journaliste.

Mathieu Crevier, qui lisait le journal au petit déjeuner, éclata de rire. Il pensa : « Ainsi, le Québec deviendra si léger qu'il pourra enfin sortir du Canada, comme un ballon gonflé à l'hélium ! »

Il était de garde aux soins palliatifs pour toute la fin de semaine. Il ne se lassait pas des soins aux malades en phase terminale. Personne ne l'avait encore appelé jusque-là. Son téléavertisseur le reliait à la Maison Soleil 24 h sur 24. La plupart des conseils qu'il dispensait se donnaient au téléphone et il restait en contact avec le pharmacien pour les ordonnances.

Il songea à la docteure Chassé et au soulagement de la douleur chronique. La morphine régnait aux soins palliatifs selon les besoins de chacun. Quand la fin devenait imminente et que le corps n'arrivait plus à lui résister, la morphine terminait le travail. Sans douleur. L'analgésique conduisait le malade qui achevait sa vie dans un monde parallèle où les rêves éthérés remplaçaient la réalité. Mathieu aimait les soins de fins de vie parce que les malades ne souffraient plus. Parce que, pour une fois, personne n'allait poursuivre le médecin si la mort survenait plus tôt que prévu. Tout le monde savait que la Maison Soleil était la dernière étape, le quai où s'embarquait le condamné à mort pour reprendre son esquif seul, soulagé, pour la dernière étape.

Il avait accepté d'y remplacer Benoît Raymond et ne l'avait jamais regretté.

Mathieu n'avait pas ses enfants les week-ends quand il était en service à la Maison Soleil. Pour cela, Stéphanie se montrait compréhensive.

Vers vingt-deux heures, son téléavertisseur l'informa qu'un problème était survenu aux soins palliatifs. Un patient nouvellement admis devait faire ajuster sa médication et c'était au médecin de faire la demande pour lui d'un appareil à oxygène au centre hospitalier. Un cancer du poumon.

— Docteur Crevier, si vous avez le temps, pourriez-vous aller voir madame Drolet dans la trois et monsieur Vallée dans la deux? Ils viennent d'être admis. La famille de madame Drolet veut vous rencontrer. Monsieur Vallée est très angoissé, à l'extrême, je dirais, l'informa l'infirmière de nuit.

— Je suis de service en même temps au CHSLD. J'ai trente minutes à vous accorder, répondit sèchement Mathieu Crevier.

— Si vous avez besoin de quelque chose, vous vous adresserez à la nouvelle infirmière. Cynthia est très... euh... très généreuse, conclut-elle. Vous la trouverez en tournant à droite, une fois passée la porte.

**

Jamais n'avait-il aperçu aussi belle femme de toute sa vie. Mathieu Crevier éprouva un choc en la regardant couvrir les pieds de monsieur Vallée d'une couverture de laine et les presser affectueusement pour bien les couvrir.

— Ça va mieux? demanda Cynthia Pelletier dont le nom apparaissait sur une badge agrafée à son blouson.

L'infirmière portait ses cheveux en chignon frivole au-dessus de la tête. Ils étaient châtain roux et plusieurs mèches s'étaient échappées comme de frêles oiseaux autour de son beau visage. Était-ce un mirage ? Son cœur était-il pris ? Allait-elle rester à la Maison Soleil encore bien longtemps ? Mathieu sentit une fraîcheur maritime s'élever devant lui. Cynthia s'en rendit compte.

— Bonsoir, Docteur ! Ce n'est pas drôle de se faire réveiller la nuit, n'est-ce pas ?

Mathieu avait le goût de lui dire qu'elle pourrait le réveiller chaque fois qu'elle le jugerait nécessaire. Il accourrait pour répondre à toutes ses demandes.

— J'y suis habitué, mentit le docteur Crevier. Je suis là pour ça ! Et vous, Cynthia, vous aimez les soins de fin de vie ?

— Je préfère les soins palliatifs aux soins de fin de vie. Parce que la plupart des gens ne savent pas ce que le mot palliatif signifie. C'est moins triste. Mais c'est embêtant de répondre que je les adore alors que les histoires, ici, finissent toujours mal.

— Il y en a des pires que d'autres.

— Ah, oui. La semaine dernière nous avons perdu une maman de trente-sept ans. Son petit gars s'est allongé à côté d'elle en pleurant et il s'est excusé d'avoir été désobéissant. Tout le monde braillait, le papa, la grand-mère, les sœurs et moi. Malgré ça, je n'ai jamais regretté d'avoir choisi les soins palliatifs à l'université.

Lorsqu'elle parlait, ses lèvres formaient un cœur rose et ses joues rondes s'activaient délicatement en exprimant les sons articulés avec application. Ses mains battaient l'air comme des jambes de ballerine. Rien de ce qu'était Cynthia Pelletier ne correspondait aux femmes qu'avait connues Mathieu. Il se disait que Stéphanie n'en était qu'une pâle copie. Sa seule inquiétude lui provenait de la suite des choses. En seulement quelques secondes, le docteur Crevier se demanda si le cœur de Cynthia était libre, si Hubert et Zoé l'aimeraient, si tout se passerait comme dans ce rêve qui venait de commencer.

— J'ai remplacé le docteur Raymond, se borna-t-il à dire.

Platement, elle répondit :

— C'est ce qu'on m'a raconté quand je suis entrée ici.

— J'avais le choix entre faire de l'obstétrique ou des soins palliatifs. Je n'ai pas réfléchi bien longtemps. Entre le commencement de la vie et sa fin, j'ai choisi la pratique la moins appréciée. Même si de grands philosophes ont conclu que venir au monde est le début de la déchéance, la sortie est bien mal comprise par tout le genre humain. Ici, on ne fait rien d'autre que de laisser dormir les malades et ce, jusqu'à ce qu'ils ne veuillent plus ouvrir les yeux.

Cynthia buvait les paroles du docteur Crevier. Elle le suivit dans la chambre quatre alors qu'il marchait en feuilletant le dossier de son malade.

— Ce monsieur a une néoplasie recto-sigmoïde du colon avec métastases au foie et au péritoine. Rien de très beau, l'informa-t-elle. Tout ce que l'on peut faire, c'est apposer des pansements absorbants. Pauvre homme ! On essaie d'aérer la chambre. L'odeur est insupportable ! Son médecin traitant lui donnait tout au plus deux jours aux palliatifs. Ça fait deux semaines qu'il est entré. Sa famille est découragée. Imaginez. Voir ton père se liquéfier, pourrir par en dedans, se désintégrer !

Mathieu fixait la jeune infirmière avec admiration. La dévotion et la sollicitude étaient les vertus qu'il remarquait le plus chez une personne, davantage si elle s'adonnait à être la plus belle femme au monde.

Julia, la préposée chilienne, entra nerveusement dans la chambre quatre.

— Madame Drolet a beaucoup de mal à respirer ! Elle étouffe !

— Donnez-lui de la scopolamine sous-cutanée, lança Mathieu avant de s'élancer dans la chambre de madame Drolet.

Il termina sa visite, il était minuit quarante cinq. Il était si rare qu'il ait besoin de se déplacer, puisque le personnel suivait le protocole pour ce qui avait trait aux doses de médicaments connus : les anxiolytiques, les sédatifs, les analgésiques, les relaxants musculaires, les anticholinergiques qui, bien entendu, ne nécessitaient pas de déplacement. Mais la présence du médecin de garde rassurait les membres des familles et aussi le personnel de la Maison Soleil.

Le docteur Crevier prescrirait les médicaments un à la fois et y passerait des nuits entières pour être auprès de garde Cynthia Pelletier.

9

L'été était arrivé sans aucun doute : à l'urgence, quatre patients s'étaient présentés pour recevoir des points de suture après s'être coupé deux ou trois orteils ou un doigt ou deux sous la lame de leur tondeuse.

On vit aussi des brûlures sévères causées par le soleil, des otites externes, des piqûres de guêpes.

Fabienne rencontra la docteure Karoui à la réception. Toutes deux étaient sidérées par l'imprudence des gens.

— On a toujours le goût de les engueuler. Ce matin, j'ai vu arriver une petite dame brûlée au deuxième degré au visage, aux épaules et au dos. Des grosses cloches ! Elle s'est beurrée d'Ozonol. Je ne savais pas que ça se vendait encore ! De l'Ozonol, as-tu connu ça, toi ? La dame avait appliqué cet onguent à la grandeur de ses brûlures. Ma mère, elle, utilisait du Noxzema pour les coups de soleil. Ça avait une odeur de thé des bois. Imagine qu'elle avait fait du pédalo durant trois heures en plein soleil sur le lac, sans crème solaire, sans chapeau. Les gens sont d'une telle imprudence ! Surtout les filles qui ne se trouvent attirantes que si elles sont bronzées !

— Après, les gens se présentent à l'urgence et veulent qu'on répare tout. Nous ne sommes pas des magiciens, que je sache !

— S'ils étaient le moindrement prudents, on compterait cinquante pour cent des inscrits au GMF, je te le jure ! conclut Fabienne.

— J'en ai encore vingt-six au sans rendez-vous. Je te parle plus tard, ajouta la docteure Karoui en emboîtant le pas à sa collègue, les bras remplis de revues médicales.

Jeanne les regarda s'éloigner. Si différentes l'une de l'autre. Fabienne, SA Fabienne, enjouée, si ambitieuse ! Rachika, si conformiste et si dévouée ! Mais toutes les deux soumises à l'homme qu'elles aimaient. Comme le disait Jean Baudouin : « Deux grandes femmes d'affaires remarquables, mais en amour, deux poules sans tête ! » Jeanne comprenait le sérieux de cette affirmation, Jean préférait, de loin, les femmes autonomes qui ne s'en laissaient pas imposer. Sa Jeanne était de celles-là.

Elle retourna à son travail à la réception. Elles étaient maintenant six réceptionnistes si l'on tenait compte des soirs et des fins de semaine. Deux secrétaires pour six médecins de famille, deux secrétaires pour les spécialistes et Toni avait embauché un jeune concierge pour suppléer à l'immense tâche. La clinique Valrose devenait une véritable polyclinique régionale. Fabienne avait vu juste.

Quand Fabienne appela le patient suivant, une jeune mère et un petit garçon d'environ trois ans répondirent à son invitation, quittant leur siège pour entrer dans le cabinet de la docteure. L'enfant semblait fiévreux. Il enfonçait son visage dans le cou de sa mère et la serrait fermement contre lui..

— Allons, mon coco, laisse la madame voir ta bedaine.

S'adressant à Fabienne, elle ajouta :

— Il est vraiment timide, vous savez. Mon coco, la docteure ne va pas te faire mal. Elle veut juste regarder ta bedaine. Si tu laisses la docteure examiner ton ventre, maman va t'acheter des *Trash Packs*. Laisse-moi lui montrer tes boutons, mon chéri !

Le ton montait. Fabienne se dit : « Si tu montres pas ta bedaine, mon coco, maman va t'arracher la tête et te la planter entre les deux épaules », en songeant à la voisine bretonne, Ida Chevalier, qui la gardait quand sa mère allait chez la coiffeuse. Ce genre de phrases intérieures aidait souvent à dédramatiser certaines situations tendues. Jamais Fabienne n'aurait osé manquer de patience envers un enfant mais cela ne l'empêcha pas d'attraper « le petit coco », de l'extirper des bras de sa mère et de l'asseoir sur la table d'examen en lui enfilant son stéthoscope dans le cou.

— Bon, qu'est-ce qu'elle a, cette grosse bedaine, enfin ? Les maringouins l'ont piquée ? La petite souris t'a grignoté ? Oh, un *Trash Pack* t'a trop chatouillé ? Montre voir.

Le coco fixa la docteure qui ne semblait pas lui vouloir de mal. Il fit même un généreux sourire.

— Tu veux tenir ça pour moi ? lui demanda Fabienne en lui enfonçant le thermomètre dans le trou de l'oreille. Attention ! Il va sonner quand il va vouloir sortir ! Écoute, écoute bien !

Elle consulta l'écran minuscule.

— Oh ! 38,4 °Celcius ! De la fièvre. C'est pas tout le monde qui a la chance d'avoir 38,4 °Celcius ! Il tousse ? demanda-t-elle à la mère.

— Non.

— Il a perdu son entrain, ces derniers jours ?

— C'est pour ça que je vous l'ai amené, Docteure ! lança la jeune femme avec une pointe d'arrogance.

Fabienne souleva le chandail du petit garçon. Elle ne fut pas surprise de voir de nombreuses pustules regroupées sur toute la surface de l'abdomen.

— Mesdames et messieurs, claironna-t-elle, nous avons ici une belle rougeole. Vous savez, Madame, qu'en 1996, la rougeole avait totalement disparu au Canada ?

— Ah, bon ? Et mon fils aurait cette maladie qui serait potentiellement disparue de la carte ?

— Il est chanceux, pas vrai ? lança Fabienne. On va lui offrir une médaille. Qu'est-ce que tu en penses, mon petit coco ?

La jeune mère commençait à comprendre le ton hautement sarcastique et en fut embarrassée. Elle savait exactement où son fils avait été contaminé.

— La fille de mon amie de fille avait la rougeole et Julien a joué avec elle la semaine passée. Ça doit être ça.

— Et la fille de votre amie de fille l'a attrapée d'un autre enfant. Une question : votre amie et vous, ne seriez-vous pas contre la vaccination ?

— Comment ?

— Votre amie et vous, avez-vous fait vacciner vos enfants ?

La jeune mère fuyait le regard interrogateur de la docteure Lanthier. Elle ne savait surtout pas quoi répondre, puis finit par se confier :

— Nous sommes un groupe d'amies du cégep. On est toujours ensemble. On refuse la vaccination pour les maladies enfantines. On a toutes eu la picote, la rougeole, les oreillons, la rubéole et j'en passe. Pis on a toutes passé au travers sans effets néfastes. On a décidé de ne pas les faire vacciner. Sauf Marie-Élaine. Elle est plus notre amie, de toute façon.

Fabienne s'assit subitement sur son banc de fer, au bord du découragement. Rien de pire que de devoir faire de l'enseignement médical pendant une visite à l'urgence à une femme remplie de graves préjugés.

— Je vais être honnête avec vous, Madame. Dans les années quatre-vingt-dix, on a éradiqué la rougeole qui, même si vous ne semblez pas le croire, causait certains ravages, comme des encéphalites et des infections pulmonaires sévères et quelques mortalités. La rougeole est la maladie qui cause le plus de décès dans le monde chez les jeunes enfants, surtout dans les pays où la vaccination n'est pas encouragée. Vous pensez chacune à votre enfant, mais moi, je pense à l'ensemble de la population, vous comprenez? Se faire vacciner, c'est une responsabilité civile. Ne pas le faire, c'est un acte d'égoïsme crasse. Ça prend une minute, le bébé pleure quelques secondes, et ça sauve des vies.

— Mettons que vous avez raison. Maintenant, qu'est-ce qu'on fait? trancha la jeune mère.

— Traiter sa fièvre, mais pour le reste, il n'y a rien à faire. Si petit coco n'a aucune complication, on attend une semaine ou deux que ça passe. Repos, dodo, calamine, on essaie de l'empêcher de se gratter.

Puis, s'adressant au petit garçon :

— Si les boutons t'agacent, essaie de ne pas y toucher. Sinon, tu vas ressembler à un adolescent à trois ans, conclut Fabienne en riant.

Fabienne retrouva son calme. Elle était fière de sa réaction et souhaitait sincèrement avoir convaincu la jeune mère et son amie que la vaccination ne rend pas autiste, qu'elle ne rend pas malade et qu'elle empêche surtout la maladie de revenir.

10

Benoît Raymond était le médecin responsable des relations extérieures à la clinique Valrose. Ses trois collègues avaient tour à tour assumé cette responsabilité depuis l'ouverture de l'établissement. Il avait de grandes dispositions pour tout ce qui concernait le fonctionnement de la clinique, les relations avec les élus politiques, avec le maire de Sainte-Marie en particulier. C'est lui qui orchestrait les rendez-vous avec les représentants pharmaceutiques, avec les journalistes et les médias, les firmes promotionnelles et de consultants en marketing. Il consacrait quelques heures par mois à cette tâche et quelque temps encore à préparer son rapport pour le présenter à la réunion mensuelle des associés.

Ce matin-là, le docteur Raymond vit arriver de manière impromptue le propriétaire de la section radiologie, le docteur Rodney Sarrasin. Il avançait d'un pas rapide et respirait avec difficulté. Benoît remarqua que l'homme boitillait et qu'il se frappait, à chaque pas, le haut de la cuisse avec sa main chargée de documents. Le radiologiste s'arrêta un instant sur le seuil de la porte qui était demeurée ouverte, fixant le docteur Raymond qui se tenait immobile au fond de son cabinet .

— Oh! Ce n'est pas kasher, marmotta Benoît, en voilà un qui a quelque chose d'important à me dire.

Quand il fut face à Benoît, son interlocuteur le salua, puis lui serra la main, sans doute par habitude, car il affichait une grande froideur.

— Je peux te parler un instant? demanda le docteur Sarrasin en forçant Benoît à consulter les rapports qu'il lui secouait à quelques centimètres du nez.

Benoît invita le radiologiste à s'asseoir.

— Qu'est-ce que c'est?

— Tu as ici le rapport de la dernière année et un rapport comparatif des cinq dernières concernant bien évidemment la marche de la radiologie. Si tu regardes ici, on voit qu'il y a une baisse de 39 % des examens radiologiques par catégorie. Ici, les radios simples pour les fractures, et là, les échographies et les infiltrations des hanches et de la colonne, et là, les poumons. Regarde ici. En un mois, cinq examens seulement!

Rodney Sarrasin était sur le point d'exploser. Son visage était passé de pêche à cramoisi et aux commissures des lèvres s'entassait du bouillon laiteux. Il postillonnait.

— Rod, calme-toi. On ne peut toujours bien pas leur casser les jambes pour les envoyer passer une radio ! répliqua Benoît en s'esclaffant.

— Bien entendu ! Mais tu riras moins quand tu entendras la suite.

Benoît reprit son sérieux. Son collègue ne semblait pas entendre à rire. Il fixait son interlocuteur au-dessus de ses montures, plissait le front, gardait la bouche ouverte à la façon d'une carpe, espérant une réaction du docteur Raymond à la mesure de son annonce. Il souhaitait surtout une réponse qui lui donnerait, ainsi qu'à ses deux associés, une bonne raison pour garder la radiologie ouverte.

Il n'était pas rare que des groupes de finissants en radiologie forment une compagnie pour s'associer à une clinique privée, s'assurant ainsi que les médecins feraient rouler leur business. À la clinique Valrose, ainsi que l'avait prouvé le docteur Sarrasin, ils étaient tombés sur des médecins qui économisaient les radiographies et empêchaient la compagnie Sarrasin, Bouchard et Babin de faire des affaires d'or comme prévu.

— Quarante pour cent, c'est pas rien ! concéda Benoît Raymond. Je ne peux expliquer une baisse pareille ! L'urgence accueille presque deux fois plus de patients, on est ouverts les soirs et les fins de semaine.

Je vais demander à Jeanne Beaulieu de me fournir les chiffres depuis l'an passé. Je suis certain qu'on a 25 % de plus de patients inscrits que l'année dernière.

— Alors, c'est que vous demandez moins de radiographies. Ou que vos diagnostics sont plus sûrs. Ou encore que vos patients sont plus prudents ou moins malades. Tu ne vas pas me dire qu'une baisse de 40 %, c'est normal et, dans de telles conditions, nous allons être obligés de fermer. Et vous enverrez vos patients à l'hôpital Sainte-Marie. On ne peut pas tenir, Benoît !

La nouvelle tomba comme une tonne de pierres. Une grosse proportion des patients choisissait la clinique Valrose parce qu'elle comptait une radiologie, une pharmacie et un centre de prélèvements. Un lourd silence s'étendit sur les deux hommes.

— D'après moi, Benoît, vous avez dû modifier votre pratique depuis un certain temps. Ou que Sainte-Marie compte davantage de jeunes familles. Ou carrément que votre clientèle a simplement moins besoin de radiographies pour appuyer vos diagnostics. J'ai même entendu dire que votre cardiologue et une de vos omnipraticiennes utilisent davantage l'imagerie médicale du centre hospitalier.

— C'est embêtant de forcer nos spécialistes à envoyer leurs patients chez vous quand ils requièrent un examen complémentaire qui n'est disponible qu'à l'hôpital. Ils veulent passer les deux radios à la même place. C'est normal. Tant qu'à prendre deux rendez-vous ! Surtout que la cardiologue et le dermatologue font des suivis à la clinique externe de l'hôpital également. Bien sûr que votre radiologie ne peut offrir tous les services qu'offre l'hôpital et il y a des examens que vous ne faites pas. Mais ça n'explique pas une baisse de 40 %, c'est certain. À moins que...

— Oublie ça ! On n'a pas les moyens et la radiologie n'est pas assez rentable pour acheter un tomodensitomètre si c'est à ça que tu penses ! On parle ici d'une clinique de taille moyenne. Il vous manque un gynécologue, un pneumologue, un gastro-entérologue, et bien d'autres qui utilisent beaucoup la radiologie.

— On n'a plus qu'un bureau de disponible et c'est le conjoint de Jeanne Beaulieu qui l'occupe avec ses cigarettes électroniques, et c'est lucratif.

— Tiens donc ! En voilà un qui a diminué sensiblement le besoin des radios des poumons, lança le radiologiste sur un ton amusé.

— Nous sommes six omnipraticiens, on a perdu notre obstétricien, on a deux spécialistes, deux salles pour les sans rendez-vous, il faudrait de nouveau agrandir. Mais certains des bureaux sont libres certains jours de la semaine. On pourrait offrir des heures partagées à quelques spécialistes qui viendraient deux ou trois demi-journées par semaine. Sans ça, il faudra, en effet, renoncer à la radiologie. On pourrait alors bâtir cinq ou six nouveaux cabinets à partager entre une douzaine de spécialistes. Parles-en à tes associés et moi, j'en discute avec mes collègues. Mais je te préviens, je ne pourrai pas leur demander de prescrire davantage d'examens radiologiques s'ils n'en voient pas la nécessité.

— Il y a des médecins qui demandent des radios à tour de bras, même pour une toux subite ou pour une pichenette sur le bras. Y'en a d'autres…

Le docteur Sarrasin ramassa ses documents officiels, tourna les talons et se rendit à ses locaux. Le soir même, il convoqua ses associés à une réunion. Benoît Raymond, quant à lui, inscrivit la date d'une prochaine réunion des partenaires de Valrose la semaine suivante, pour avoir le temps d'en discuter avec Fabienne qui avait sûrement son idée. Elle saurait ce qui était le mieux pour la clinique.

* * *

Devait-elle subir une amniocentèse ou poursuivre sa grossesse sans tenir compte de l'échographie ? Elle était encore jeune et les risques étaient minimes d'avoir un enfant atteint de trisomie. Le radiologiste avait aperçu une clarté nucale anormale qui, d'habitude, est associée à la trisomie 21. Fabienne n'avait vu qu'une seule anomalie du genre durant toutes ses années de médecine et elle se souvint que la parturiente, infirmière, et son conjoint avaient refusé l'avortement. C'est Dieu qui leur avait envoyé cette épreuve, disaient-ils. L'enfant naquit trisomique cinq mois et demi plus tard. Ce n'est que sept ans après qu'à la clinique, Fabienne revit le couple et leur jolie bobinette, mignonne comme tout, le sourire fendu jusqu'aux oreilles, si chaleureuse, si affectueuse, qu'elle comprit que ces enfants différents, s'ils sont bien éduqués et bien entourés de l'amour de leur famille, devenaient un cadeau pour leur entourage. Elle s'appelait Myriam et sa mère l'appelait Mimi. Fabienne se souvenait que Mimi avait posé sa petite main dans la sienne et avait dit : « Tu viens avec moi, je vais te montrer le beau papillon. » Et elle avait entraîné la docteure Lanthier jusqu'à une illustration encadrée sur le mur menant à la radiologie. « Regarde s'il est beau. Mais il est handicapé, tu vois ? Il lui manque une patte. Ça fait rien, il est beau quand même. » Fabienne avait remarqué qu'en effet, la photo ne montrait pas l'une des pattes de l'insecte qui était camouflée sous un pétale de rose. « Il est handicapé, mais il est beau quand même. » Cette phrase revint en force dans la tête de Fabienne.

Souvent, les radiologistes se trompaient. Cinq pour cent de faux positifs. Aucun test n'était entièrement sûr. Fabienne n'avait pas atteint l'âge à risque,

ne possédait aucun antécédent d'anomalies chromoso-
miques, les marqueurs sériques étaient normaux, mais
le radiologiste avait vu une clarté nucale évidente et
une longueur cranio-caudale inquiétante qui, selon lui,
témoignaient d'un syndrome de Down et avait men-
tionné que si cela arrivait à sa conjointe, il lui recom-
manderait l'avortement. Chez deux de ses patientes,
il s'était trompé. Les parents avaient songé à l'avortement, mais leur petite fille était née tout à fait normale.
Chez une patiente de Mélissa, l'amniocentèse avait
provoqué une fausse couche. Dans le domaine de la
vie, rien n'était certain. La docteure Lanthier décida
donc de garder le secret sur les résultats de l'échographie, et de n'en parler ni à Benoît — du moins, pas
pour le moment —, ni à sa mère, ni à son amie Mélissa
qui lui jetait souvent un regard d'envie en posant la
main sur son ventre rebondi.

Quand elle s'endormit ce soir-là, Fabienne rêva
de Pierre-André. Il croupissait dans un bâtiment sale,
sombre et humide et son visage paraissait derrière une
fenêtre à dix barreaux entaillés à plusieurs endroits
par des prisonniers en quête de liberté. Fabienne lui
tendait Emmanuel, qui possédait les traits caractéris-
tiques de la trisomie 21. Quand il aperçut son fils, il
refusa que le geôlier le laisse sortir. Il se rendit face à
un grand calendrier, tourna une dizaine de pages et

158

fit une croix sur le mois de juin 2025 puis, riant aux éclats, se hâta de rejoindre ses deux amis européens dans la cour arrière de la prison présidentielle.

Au petit matin, lorsqu'elle s'éveilla, Benoît était toujours allongé auprès d'elle. Il lui sourit, puis posa son oreille sur son ventre.

— Je vous aime! susurra-t-il.

— Moi aussi.

— J'ai hâte de savoir si c'est un gars ou une fille.

— Moi, j'aimerais avoir la surprise, pas toi? demanda-t-elle.

— Je veux bien attendre. Mais il y a une chose qui me chicote. Pourquoi tu ne vis pas ta grossesse comme toutes les femmes, mon amour?

— Que veux-tu dire, comme toutes les femmes?

— Bien, l'échographie, les cours prénataux, la série de mesures qu'offre l'obstétrique moderne? As-tu décidé qui va t'accoucher, premièrement?

— Une sage-femme.

— Quoi?! On est entourés de médecins, on connaît tous les risques et toi...

— Ne t'énerve pas, Benoît. Mélissa sera là et toi aussi. Pour les au-cas-où.

— Tu ne veux pas accoucher à l'hôpital Sainte-Marie avec tous les bons soins qui t'attendent? Ils ont mis trois ans à mettre sur pied une maison de la naissance, avec des chambres spacieuses, de la lumière tamisée, de la musique, des diffuseurs d'huiles essentielles, du personnel qualifié et toi, médecin, tu choisis la méthode archaïque d'une époque où toutes les femmes accouchaient à la maison et où 35 % des bébés mouraient à la naissance ! Je ne te comprends pas.

— À l'Hôpital Sainte-Marie, il y a les cancans et les curieux.

— Mais c'est notre enfant, Fabienne. Deux docteurs qui travaillent à cet hôpital. C'est mon enfant, à moi aussi. J'ai voix au chapitre, tu ne crois pas ?

— J'ai, moi, le droit de choisir. C'est moi qui accouche ! J'ai trouvé une sage-femme que m'a recommandée Mary-Ann Sanders. Selon sa blonde et elle, l'accouchement s'est merveilleusement bien passé avec cette fille formidable. Musique, eau tiède dans la baignoire, chandelles, huiles essentielles. Comme à la maison des naissances de l'Hôpital Sainte-Marie. Emmanuel pourra voir arriver son petit frère ou sa petite sœur.

— Tu vas accoucher devant le petit ?

Fabienne éclata de rire et se mit à chatouiller Benoît sous les aisselles.

— Si tous les petits garçons pouvaient voir leur mère accoucher, il y aurait moins d'enfants non désirés. Savais-tu que 49 % des hommes refusent le condom ? Me semble qu'ils y penseraient à deux fois.

160

Et ils auraient tellement plus d'admiration pour la femme !

Chère Fabienne ! Benoît n'avait nul besoin de la voir mettre son enfant au monde pour avoir de l'admiration pour elle !

Il lui retira sa robe de nuit comme on développe un bonbon, en la déboutonnant avec lenteur et sans la moindre équivoque, et il la prit avec passion sur le lit défait. Avec toujours autant d'application et de méticulosité que s'il sculptait un château sur un grain de riz, comme cet artiste chinois vu à la télévision. Au moment où Fabienne exprimait son extase, Emmanuel manifesta sa présence. Étonnamment, il rejoignit Benoît et se lova entre ses bras et vit que son « papa » ne le repoussait pas. Fabienne comprit la signification de son cauchemar : Pierre-André venait de perdre sa place dans la vie de son fils.

Elle mettrait au monde un enfant différent si le radiologiste ne s'était pas fourvoyé. Elle allait poursuivre sa grossesse et s'en remettre à la vie comme lorsque, petite, elle mettait un sou dans la distributrice et qu'une boule de gomme noire apparaissait derrière la petite porte. Elle voulait la rouge, mais acceptait la noire en se disant qu'elle avait le droit, elle aussi, d'être choisie.

11

« Cinquante-cinq pourcent des Québécois consomment au moins un médicament, pour un coût global applicable au régime public d'assurance médicaments de près de 4,5 milliards de dollars annuellement. »

Ce genre de nouvelles, les médecins de la clinique Valrose en recevaient presque trop. Le pharmacien Danh N'Guyen avait bien raison : l'assurance gouvernementale pour les médicaments écartait de plus en plus les remèdes originaux pour plutôt privilégier les copies, moins onéreuses. Dorénavant, les médecins avaient l'obligation de songer à leurs patients, bien sûr, mais aussi à l'intérêt de l'ensemble de la population. Plus chers, les produits créés par les grandes pharmaceutiques devaient céder la place à une ribambelle de copies qui les remplaceraient à moindre coût afin d'assainir les coffres de la RAMQ. Étaient-ils moins efficaces que les originaux ? Il était trop tôt pour produire un rapport officiel.

Certains des vieux patients de Danh N'Guyen n'en démordaient pas. Ils ne voulaient pas changer leurs habitudes et ne comprenaient pas que le Québec ne puisse plus assumer pareil régime public. Qu'ils ne puissent plus avaler leurs pilules, sans qu'on en modifie la forme ou la couleur. Il leur paraissait impensable que la petite pilule bleue puisse être aussi efficace que leur bonne vieille « tite penune rose ».

Mélissa O'Brien reçut le premier appel du pharmacien.

— J'ai ici l'ordonnance de madame Françoise Magloire que tu as vue hier soir, annonça-t-il.

— Oui, pour un diabète de type 2.

— J'ai pensé que le Victoza n'est pas nécessaire en accompagnement du Lantus. Premièrement, il n'est pas payé par l'assurance médicaments et je serais étonné qu'une dérogation y changerait quelque chose. Tu lui as prescrit Victoza pour l'aider à perdre du poids, que m'a dit madame Magloire, c'est bien ça ?

— Pas pour perdre du poids, mais pour contrôler son appétit et empêcher l'insuline de la faire engraisser. Ça marche très bien dans son cas. Les patients qui se piquent à l'insuline ont déjà un problème de poids, alors si on peut éviter qu'ils prennent encore plus de poids en ajoutant du Victoza, il me semble…

164

— Ça coûte quasiment 400 $ pour trois seringues! Y as-tu pensé? Je suggère... poursuivait le pharmacien.

— Mon dieu, tout un virage, Danh!

— Je suis plus conscientisé, mettons. Le gouvernement veut couper dans les services aux patients, alors, il me semble que...

— Au point d'intervenir dans le mode de prescription des docteurs! Tu vas te faire trancher la tête! ajouta Mélissa avant de se mettre à rire. Je ne change rien dans le cas de cette patiente, elle peut se le payer. Donc, Victoza, 1,8 mg per diem sous-cutané.

Après avoir raccroché, Mélissa inscrivit «pharmacien et ordonnances» sur son Moleskine dans la section «Réunions professionnelles. ». Elle n'allait pas se faire dicter sa conduite par un apothicaire!

Le ministre de la Santé avait décidé de mettre la pédale douce et de conscientiser tout le milieu de la santé en commençant par les pharmaciens. Aux nouvelles télévisées, il avait déclaré que le régime public de la santé ne pourrait plus supporter la charge financière de ce «meilleur système de santé au monde». Les omnipraticiens, eux, ignoraient, pour la plupart d'entre eux, le prix des médicaments, ne se fiant, pour juger de leur efficacité, qu'à la présentation que leur en faisait chacune des compagnies pharmaceutiques. On leur parlait rarement du coût et surtout des rapports comparatifs. Les médecins étaient, sans le vouloir — ou par manque d'information — responsables de la hausse des pilules, payées par le bon gouvernement que certains critiques appelaient « le gouvermaman ».

Mélissa, qui songeait depuis longtemps à s'impliquer au sein d'un comité quelconque où elle pourrait apporter un changement appréciable, pensa tout à coup au RPUOM, le Regroupement des professionnels pour l'usage optimal des médicaments, mis en place par le ministère de la Santé. Il y avait un poste vacant pour la région de Laval-Laurentides-Lanaudière. De ce genre de comité, il y en avait mille à travers le Québec, mais jamais le dossier de l'accessibilité aux médicaments n'avait été jugé résolument nécessaire.

***

Mélissa n'avait jamais été aussi heureuse que depuis que Pierre avait choisi de demeurer à la maison avec Roselyne. Elle ne ressentait plus les préoccupations causées par la difficile conciliation travail-famille. Pierre faisait l'épicerie, préparait les repas, entretenait la maison et surtout, développait une grande complicité avec leur fille.

Pierre savait mener un ménage, comme il disait. Sa mère était décédée lorsqu'il avait six ans, il avait appris très jeune comment repasser une chemise, préparer un poulet au four, changer le sac de l'aspirateur ou laver les vitres avec du vinaigre et de l'eau ; aussi, il assistait son père chez le marchand de fruits et voyait comme un événement normal le fait de discuter du prix des légumes au marché. Quand son père s'était remarié avec Florence, il avait cédé sa place à sa belle-mère, mais était toujours le premier prêt à rendre service.

Mélissa pouvait donc exercer sa profession avec un engouement tel que ses collègues purent voir une nette différence. Et Pierre semblait bénéficier de ses nouvelles fonctions. Il était plus enjoué et, à la blague, suggéra même de créer le Regroupement des pères à la maison.

***

Mélissa fit connaître par lettre son intérêt au responsable régional du Conseil régional de la santé et des services sociaux, Jean-Yves Pagé.

Ce dernier, qui avait complété son cours de médecine avant de s'orienter vers le domaine de l'administration publique, avait toujours œuvré dans le milieu de la santé. Comme il n'était pas du genre à laisser venir les choses, il avait aiguisé ses connaissances en se mêlant à tous les comités, conseils d'administration et conseils consultatifs, afin de ne jamais se sentir dépassé par un événement ou un nouveau projet de loi. Pagé était donc un homme fort avisé et on le sollicitait de tous bords tous côtés pour régler des situations diverses.

La question de diminuer la hausse astronomique des médicaments était celle qui lui importait le plus et les discussions auxquelles Jean-Yves Pagé avait participé lui avaient prouvé que la province n'était pas sortie de l'auberge. Les pharmaciens et les médecins traitants n'avaient pas de temps à consacrer au nouveau comité régional, surtout pas pour participer à l'implantation du nouveau projet de loi du ministre Charrette, lui-même un ancien radiologiste.

Quand il prit connaissance de la lettre de la docteure Mélissa O'Brien, Pagé sourit d'aise, puis se cala au fond de son fauteuil, regarda par la fenêtre et se dit qu'il serait bon d'appeler le laveur de vitres. Ça l'aiderait sans doute à avoir les idées claires. Une omnipraticienne serait la bienvenue. Il composa le numéro de la secrétaire-trésorière du Regroupement, Monique Leduc, une infirmière clinicienne de la Cité de la Santé.

— Le poste de médecin est comblé! lança-t-il.

— Qui ça? demanda madame Leduc avec un certain scepticisme.

— La docteure Mélissa O'Brien de la clinique Valrose.

— Oh! Nous sommes chanceux! Elle ne doit pas vouloir trop fouiner. J'ai entendu dire qu'elle coupe les pilules aux vieux en prétendant qu'ils n'en ont pas besoin.

— Je ne sais pas ce que Lucien dira de ça, répliqua Jean-Yves Pagé.

— Quoi donc ?

— Une docteure qui est plus catholique que le pape !

— Tu crois que c'est à cause d'elle que Danh N'Guyen s'est plaint que son chiffre d'affaires a tant baissé ?

— C'est la loi 28 qui est en train de nous étrangler tous, tu le sais bien, Monique.

— Il y a l'Internet, aussi. Les gens lisent, consultent et fouillent. Ils sont plus exigeants, s'interrogent sur leurs médicaments. Ils connaissent les effets secondaires mieux que les médecins, bien souvent.

— Écoute, Monique ! Si on applique les recommandations du gros Charrette, les pharmaceutiques vont devoir céder leur place à celles qui produisent des médicaments génériques. Et qui prend le plus de pilules ? Les patients vieillissants. C'est là qu'il y a de l'argent à faire. Les patients qui souffrent de maladies pulmonaires, de pneumonies, d'arthrose du genou, de fibrillation auriculaire, ceux-là consomment des pilules en masse. On a une population de vieux. Ce doit être pareil dans les cliniques médicales.

Monique Leduc fondait d'admiration pour son collègue. Elle le trouvait intelligent et aussi très bel homme. Il était richement vêtu, portait toujours un nœud papillon et parfois des bretelles ou des brassards de chemise, comme l'agent 007. Ses chaussures étaient toujours bien cirées et ses chaussettes étaient agencées à la couleur de sa chemise. Quand elle pensait à lui, elle l'imaginait se dévêtant devant elle et plaçant ses vêtements sur une chaise, tous bien alignés, prêts à le revêtir de nouveau. Elle n'aimait pas les hommes trop maniérés, mais elle était prête à pardonner à Jean-Yves Pagé. Après tout elle était mariée à son bon Édouard qui était d'une affabilité légendaire. Alors, elle regardait du côté de son collègue juste pour se requinquer de temps à autre. Juste pour rêver.

Jean-Yves connaissait toutes les statistiques, les nouvelles études, lisait les revues médicales et il couvait un gros secret dont Monique détenait les divers méandres. Cet homme était très futé. Le jour où tout éclaterait au grand jour, lorsque, par exemple, le ministre libéral chargerait une commission d'enquêter sur l'industrie pharmaceutique, Jean-Yves Pagé tomberait comme un pantin désarticulé. Et elle même n'y échapperait pas.

* * *

L'État payait plus de trente millions en honoraires aux pharmaciens pour la distribution des médicaments à la population même s'il en manquait vingt pour cent dans les hôpitaux du Québec. Sept mille médicaments étaient inscrits sur la liste du RGAM. Neuf pour cent des jeunes Québécois faisaient de l'exercice tel que le recommandait l'Organisation mondiale de la santé. Presque la moitié des travailleurs sédentaires risquaient de souffrir d'une maladie cardio-vasculaire. Toutes ces statistiques flottaient dans la tête de Jean-Yves Pagé. Et des centaines d'autres plus ou moins pertinentes. Il était en réalité la personnalité la plus influente de la région. Et aussi, la plus dangereuse.

Il allait surtout tenter de mettre la docteure O'Brien de son côté. Les médecins de la clinique Valrose n'avaient pas la réputation d'être des bagarreurs. Selon le directeur du CRSSS, ces jeunes loups manquaient nettement d'ambition.

12

C'était le week-end de Zoé. Et il coïncidait avec celui de Cynthia. Mathieu Crevier ne savait que faire. Depuis quelques mois, il tentait de séduire la jeune infirmière de la Maison Soleil sans se lancer à corps perdu dans l'aventure. Cynthia offrait une certaine résistance. Elle lui avoua avoir entendu dire que le docteur Crevier avait vécu plusieurs histoires sentimentales s'étant terminées en queue de poisson et que son divorce était rempli d'embûches. Certes, il était très intéressant et respectueux, mais Cynthia en avait soupé de tous ces hommes qui avaient la garde de leurs enfants tous les quinze jours. Dans le cas de Mathieu, c'était tous les week-ends en alternance.

Ils étaient allés manger quelques fois ensemble, question d'éclairer la route, de se connaître en dehors du travail, mais ne s'étaient prêtés jusque-là à aucune manifestation sentimentale.

Lors de leurs rencontres, il ne lui parlait pas trop de ses enfants ni ne parlait à Hubert et à Zoé de la dame qu'il avait rencontrée. Mais cette fois, la première, il voulait présenter Cynthia à Zoé. Il était prêt à subir la colère de Stéphanie. Deux mois de fréquentations, c'était amplement suffisant, croyait-il.

Il ne comprenait pas la prudence calculée de Cynthia face à leur relation qui s'enrichissait de moments de plus en plus tendres et de rapprochements volontaires. Elle était libre — sortie dernièrement d'une relation de quatre ans avec le jeune chef d'un restaurant à la mode du Mile-Ex à Montréal — et ne semblait nullement trop prudente face aux hommes. Mathieu rêvait à chaque instant qu'il lui faisait l'amour ; elle craignait qu'il ne s'engage trop. Bien des hommes qu'elle avait rencontrés avaient des enfants et, visiblement, n'étaient pas faits pour la monoparentalité. La plupart éprouvaient un besoin irrépressible de dégoter une femme sans enfants pour prendre soin de leur progéniture et surtout pour prouver à leurs rejetons que papa n'était pas aussi bête que leur maman essayait de le leur faire croire (puisqu'une autre dame pouvait l'aimer).

Quand Zoé aperçut Cynthia, elle lui sourit. Quand elle constata que c'était la nouvelle blonde de papa qui faisait cuire les *grilled cheeses*, elle s'enfuit dans sa chambre et ne voulut plus en sortir. Mathieu tenta plusieurs fois de l'amadouer, de lui expliquer, utilisant la méthode forte ou douce, il essuya un échec.

— Pourquoi as-tu aussi peur de Cynthia, ma Zoé? Elle est gentille comme tout. Viens au salon, on va jouer aux Pouliches tous les trois.

Zoé se calma et détacha ses menottes l'une de l'autre. Jouer aux Pouliches avec papa et la dame! Quelle joie!

— Il faut passer par le jeu de rôles. C'est ce qu'on nous a appris en pédopsychiatrie à Sainte-Justine. Tu vois, ça fonctionne!

À l'aide des petits chevaux à longue crinière multicolore, Cynthia mit très peu de temps à rassurer Zoé, à la faire rire et même à la faire asseoir sur ses genoux. À un moment, Mathieu se métamorphosa en Spike, le petit dragon, et devint aussitôt le papa le plus gentil de l'univers. Il cherchait, au sein du troupeau, la pouliche la plus gentille pour remplacer sa femme qui avait disparu. C'est alors que la jolie Rainbow s'invita dans l'écurie princière et toutes les petites pouliches vécurent heureuses autour du couple.

Zoé aida Cynthia à peler les carottes — ce que Stéphanie lui interdisait en tout temps — et à préparer le poulet thaï, arguant qu'elle adorait le goût piquant, ce dont Mathieu semblait douter. Elle accepta que « l'amie » de papa lui brosse les cheveux et l'aide à enfiler sa robe de nuit. Les dés étaient lancés. Les carottes étaient cuites et l'amour naissait pour de bon entre Mathieu et Cynthia.

Une fois Zoé endormie, ils écoutèrent un film, se donnèrent des petits baisers et laissèrent leurs doigts se promener sur leur peau. Puis, vers 23 heures, Mathieu invita Cynthia dans son lit et ils firent l'amour pour la première fois avec toute la fougue qu'ils avaient entretenue au long de la soirée.

Jamais Stéphanie n'avait-elle été aussi audacieuse et osée. Jamais n'avait-elle offert autant. Leur coït arrivé à son paroxysme, Mathieu eut un choc. Une nouvelle existence commençait. Restait à séduire Hubert.

***

La docteure Karoui, même si elle était clairement intégrée à sa société d'accueil depuis des lunes, n'en revenait pas du nombre anormal d'enfants qui consultaient pour un trouble du déficit de l'attention avec hyperactivité. Chaque semaine, elle voyait au moins un cas de TDAH, des garçons surtout, et même si elle accumulait les articles sur le sujet, elle peinait à s'expliquer ce phénomène face aux parents totalement découragés, d'autant plus que la médication, des psychostimulants, était très mal perçue. On disait même que les médecins de famille, les psychologues scolaires et les éducateurs entretenaient d'énormes préjugés envers le Ritalin.

Elle vit entrer un couple de nouveaux patients d'origine libanaise avec leur fils de 10 ans. Quand elle apprit qu'ils consultaient parce que René était hyperactif et n'arrivait pas à se concentrer, elle s'arma de patience. C'était son deuxième cas de la semaine.

Malgré toute l'attention qu'il recevait d'un duo de psychologue et d'orthopédagogue, le jeune garçon ne voulait plus aller à l'école, se plaignant d'intimidation de la part de ses camarades, mais également de ses enseignants. Rachika était persuadée que, oui, parfois l'intimidation envers certains élèves pouvait provenir des éducateurs. Et parmi eux, ceux qui devaient prendre du Ritalin. Toutes les théories possibles se chevauchaient dans la tête de la docteure.

— On me dit que tu n'aimes pas l'école, René ? C'est vrai, ça ?

L'enfant fixait tour à tour ses parents qui posaient sur lui un regard d'adoration.

« Il est entouré d'amour de la part de ses parents », écrivit-elle.

René répondit en agitant la tête de gauche à droite.

— Il n'aime pas l'école parce que ses instituteurs lui cassent du sucre sur le dos, expliqua la mère.

— C'est vrai, René ? demanda la docteure Karoui.

— Oui, glissa l'enfant avec timidité.

— Faut dire qu'il ne reçoit pas toute l'attention à laquelle la direction nous a promis qu'il avait droit, ajouta le père d'une voix autoritaire.

— Ça va en dégringolant, Docteure. Plus il est agité, moins il démontre de l'attention et moins il suit l'enseignement de son professeur, plus il est agité. C'est toujours à recommencer.

Rachika Karoui songea que cette terrible maladie ne touchait pas les enfants de son pays.

— Il se rend à l'école...

— En autobus scolaire.

— Vous habitez près de l'école, non? constata Rachika en relisant les coordonnées de la jeune famille.

— Nous habitons à trois-quarts de kilomètre et, à cause de son état, la commission scolaire a accepté une dérogation. Vous comprenez, le pauvre petit...

— A-t-il des activités parascolaires? questionna la docteure.

— Que voulez-vous dire? demanda le père.

— Des cours de judo, de natation ou des sports d'équipe, soccer, baseball ou hockey?

— Ma femme et moi, nous travaillons tous les deux, nous allons le chercher à la garderie scolaire à 18 heures. Pas de temps pour les cours! expliqua le père.

La docteure Karoui posa les coudes sur son bureau et se pencha en direction de l'enfant, pour lui parler, les yeux dans les yeux.

— Qu'est-ce que tu aimes manger, René ?

— Il mange… commença la mère.

— Madame, je ne veux pas vous insulter, mais je crois que votre fils est capable de répondre à ma question. Vous devez laisser parler votre petit garçon. À 10 ans, il connaît ses goûts alimentaires, non ? Alors, René ?

L'enfant réfléchit, changea trois ou quatre fois de position sur son siège, attrapa un stylo, se mit à l'ouvrir, puis à le refermer, mais Rachika voyait qu'il réfléchissait, même s'il était agité. Sa mère lui mit la main sur l'avant-bras pour l'appeler au calme.

— J'aime la pizza, les hamburgers, le chocolat…

— Tu aimes le poisson, aussi, chuchota encore la dame.

— Et l'agneau, ajouta le père.

— J'aime les baklavas. Beaucoup, les baklavas. C'est bon, le miel, pour la santé, s'excusa-t-il. Et le chocolat.

La mère sursauta, visiblement très ennuyée.

— Mais, chéri, qui t'achète du chocolat ? Tu sais que c'est interdit à la maison !

La docteure Karoui écrivit que la maladie de son jeune patient semblait mal contrôlée et qu'il se nourrissait mal. Elle fixa les parents de son regard sévère comme seule elle savait le faire quand un patient fautif n'obéissait pas aux règles. Elle s'adressa alors à René en prenant ses mains entre les siennes.

— René, dis-moi, est-ce que tu prends tes médicaments tous les jours sans jamais oublier ?

— Euh... oui, répondit-il avec hésitation.

— Docteure, mais vous nous prenez pour qui ? Nous ne sommes pas de mauvais parents. Qu'est-ce que vous voulez insinuer ? s'exclama la mère.

Rachika gardait son calme et continuait à ne s'adresser qu'au jeune patient.

— René, tu es enfant unique, dis-moi ? demanda-t-elle.

René se mit à balbutier.

— Euh, non. J'ai un frère, dit-il avec un sentiment de peur dans la voix.

— Nous avons un fils plus âgé. Il s'appelle André. Il a 15 ans et termine son secondaire, dit le père avec fierté comme s'il dépeignait un cheval de course.

— Et André, il est gentil avec toi ? demanda la docteure Karoui avec une intention bien arrêtée.

Le garçon ne répondit pas tout de suite. Son visage s'empourpra et il se mit à battre la mesure avec ses pieds au bas du bureau.

— Il t'apporte des baklavas et du bon chocolat, suggéra Rachika.

— André n'a pas d'argent pour acheter ces choses! s'esclaffa le père.

— Si, André, il a tout plein d'argent! explosa René en fixant la fenêtre.

Les parents étaient abasourdis. La docteure Karoui, à sa grande satisfaction, venait de débusquer une sorte d'entente qui se produisait plus souvent que l'on ne le croyait chez les adolescents: le trafic de médicaments. Elle n'avait qu'à se rappeler les jeunes de son pays qui, très jeunes, vendaient des denrées aux troupes militaires qui hantaient sa petite ville, du sucre, du pain et du saucisson. Elle ne pouvait pas oublier les entourloupettes que devaient exécuter ses cousins, allant jusqu'à voler dans la cave les victuailles que leurs parents y rangeaient pour échapper à la famine quand les champs séchaient au soleil. Il y avait parmi les jeunes de sa famille une dizaine de trafiquants qui auraient vendu leur mère pour se procurer des cigarettes et du chocolat. Rien ne lui paraissait scandaleux quand elle songeait à André qui vendait le Ritalin de son jeune frère. «Si les parents se procurent chaque mois les psychostimulants prescrits, pensa-t-elle, et que l'enfant en vend une partie, il est normal qu'il y ait des manques dans sa médication et, malgré l'aide d'une psychologue et d'une orthopédagogue, les parents constatent que leur enfant change, que son état est mal contrôlé. C'est ainsi: on fouille, on se rend compte qu'il y a un grand frère ou une grande sœur qui vend le Ritalin à son école secondaire ou au cégep. »

— René, si tu ne prends pas ton médicament comme le docteur l'a prescrit, c'est dangereux pour toi. Mais le pire, c'est que si des amis d'André avalent **tes** (elle le pointa du doigt avec sévérité) médicaments, il pourrait arriver que le jour où ils n'en auront plus, ils se suicident. Tu comprends ?

Les parents fixaient leur enfant bouche bée, comme deux carpes. Ils n'étaient visiblement pas prêts à entendre cette cruelle vérité.

— En plus, les baklavas et le chocolat, c'est beaucoup de sucre, et le sucre n'est pas recommandé pour toi. Et tu dois faire dix fois plus d'activités physiques pour dépenser ton trop-plein d'énergie, ajouta Rachika.

Puis, s'adressant aux parents, toujours sous le choc, elle clarifia :

— Trois-quarts de kilomètres, c'est la moitié moins que mes amis et moi marchions pour aller à l'école. Ce devait être pareil au Liban pour vous, non ? Il faut que René dépense de l'énergie pendant la journée et qu'il évite le sucre. Il faut surtout couper le stress qui provient de cette entente qu'il a établie avec son frère aîné. Tu es d'accord, René ? Le TDAH est une maladie du monde moderne. Il y a de plus en plus de cas chaque année. Les enseignants n'y arrivent plus. Avant, on trouvait un ou deux enfants par école qui souffraient d'un déficit d'attention associé à de l'hyperactivité. On disait alors qu'ils étaient tannants. Aujourd'hui, avec la société contemporaine, l'alimentation, le manque d'exercice, les problèmes relationnels entre les parents, la pollution, il y a parfois trois TDAH par classe! C'est énorme. Ils ne sont pas juste tannants, ils sont extrêmement malheureux. Les psychostimulants ne sont pas nocifs lorsqu'ils sont bien dosés, mais si tu triches, René, c'est là que tout bascule. Il faut que tu prennes ton Ritalin religieusement, tu comprends ça?

— Oui. Je l'ai dit souvent à mon frère. Je lui ai dit que je le dirais à papa.

Le père se leva, mortifié.

— René, tu aurais dû me le dire.

— André dit que tu ne lui donnes pas assez d'argent de poche, que ses amis en ont bien plus. Et puis, il a peur de tes baffes.

La mère se mit à sangloter dans son petit mouchoir brodé. La docteure Karoui ne prit pas la peine de la consoler. «Trop de parents ne prennent pas le temps de regarder vivre leurs enfants», se dit-elle.

Et Rachika connaissait le despotisme de l'homme chez certains néo-Québécois. Sa fierté. Sa grande prétention.

Les parents et René quittèrent la clinique Valrose, le cœur brisé.

13

Fabienne reçut un étrange appel téléphonique à la clinique. Bien-Aimé Chasseur.

Jeanne Beaulieu le lui transféra tout en constatant qu'il provenait d'Haïti. Fabienne éprouva un choc en entendant la voix. L'homme chuchotait comme s'il voulait éviter d'être entendu.

— Le docteur Caron, il a besoin qu'on le sorte de là ! Ils vont le tuer, sinon ! Madame Lantillais (Fabienne sourit), faites quelque chose si vous pouvez. Demandez au Canada ! Mais faites vite !

L'homme avait ses lettres, un enseignant peut-être. Ou un fonctionnaire à l'immigration haïtienne ou même un prêtre qui connaissait la prison.

— Que voulez-vous dire ?

La ligne fut coupée net. Fabienne lança son stylo devant elle, se projeta au fond de son fauteuil, joignit ses mains derrière sa nuque et soupira très fort. « Bon, et quoi encore ? » songea-t-elle.

Elle parcourut le dossier photos sur son ordinateur et s'arrêta, médusée, sur celle, la plus belle, de Pierre-André Caron, qu'elle avait prise durant leur voyage aux Îles-de-la-Madeleine. Elle revoyait les dunes d'herbes folles séparées par une allée de sable donnant accès à la plage. Se rappelait les églantiers ployant sous les tourbillons du vent, se souvenait des grottes rouges dans les escarpements sablonneux bordés de foins de mer et de longs rubans, vert d'Irlande. Entendait leurs éclats de rire témoignant de leur grand bonheur. Où était-elle rendue désormais ? La vie l'avait séparée de l'homme qu'elle tentait d'oublier, mais que tant d'événements lui rappelaient sans cesse.

Fabienne consulta les rubriques du ministère de l'Immigration et nota quelques numéros de téléphone dont celui du député de l'opposition officielle, responsable des dossiers d'immigration, Luis Sapollino.

Il était presque dix-sept heures. Elle se hâta de remplir le formulaire de la SAAQ de monsieur Jodoin pour qu'il conserve son permis de conduire, encore cette fois et pour la dernière. Il n'aurait jamais supporté qu'elle lui refuse ce privilège, même si elle avait établi que son vieux patient de 87 ans avait des faiblesses au plan cognitif. Lui refuser ça équivalait à signer son arrêt de mort.

Elle retrouva Emmanuel et Benoît à la maison avec cette humeur massacrante qui accompagnait parfois les différentes étapes de sa grossesse. Benoît savait manœuvrer : ne lui poser aucune question, lui servir un kir et lui apporter ses pantoufles, comme un bon chien. Fabienne n'était pas toute à lui. Ça se voyait dans son regard. Un obstacle s'était dressé entre elle et lui. Benoît espérait se tromper.

* * *

Ce matin-là, Fabienne lui écrivit une note pour Benoît, qu'elle déposa sur la table. Elle avait annulé ses rendez-vous de la journée, avait demandé à Mélissa de la remplacer à la clinique d'obésité et ne dit à personne où elle allait.

* * *

À la première réunion officielle du Regroupement des professionnels pour l'usage optimal des médicaments, le pompeux RPUOM, Jean-Yves Pagé, présenta la docteure O'Brien au reste du groupe et fit circuler la liste des médicaments génériques que les patients et les médecins ne voulaient pas substituer aux originaux.

— Les gens n'ont aucune conscience collective ! fit un jeune pharmacien. Les génériques sont aussi performants que les originaux et coûtent moins cher. Le gouvernement ne peut pas continuer à s'endetter pour faire plaisir aux conformistes de tout acabit qui ne pensent qu'à eux.

Mélissa ne voulait pas se lancer aussi vite dans la mêlée, mais ne put s'empêcher de songer aux patients qui souffraient d'intolérance aux médicaments génériques.

— Il y a aussi des patients qui sont allergiques aux colorants ou aux excipients utilisés dans les produits d'imitation. Et ceux que les génériques ne soulagent pas ou très peu! objecta Mélissa d'une voix assurée. J'ai assisté à la conférence du pharmacologue français…

— Il y a, comme vous, des médecins qui sont rébarbatifs aux génériques, intervint Monique Leduc. Vous gâtez trop vos patients, Docteure O'Brien! Il y a des personnes âgées qui ont du mal à changer quoi que ce soit dans leur quotidien.

— Notre comité va dans le même sens que le ministre Charrette. On ne peut plus s'offrir un système de santé aussi onéreux, lança Jean-Yves Pagé en développant un bonbon à la menthe. Les grosses pharmaceutiques ont tellement augmenté leurs prix que la population croit que les pilules moins chères sont moins efficaces. Prenez les antibiotiques. Les médecins en ont tellement prescrit que les enfants ont développé une résistance. Et les parents mettent la faute sur les antibiotiques génériques qui seraient moins bons.

— Plus personne ne prescrit des antibiotiques originaux. Ils sont bien trop chers pour les familles de deux ou trois enfants. Les enfants attrapent jusqu'à neuf rhumes, otites, amygdalites, pneumonies à la garderie. Ils ont souvent besoin d'antibiotiques. Ça coûte un bras! dit le jeune pharmacien.

— Les parents font l'erreur de les arrêter dès que l'otite semble guérie, après quatre ou cinq jours, alors qu'on leur dit de leur en donner pendant dix jours. Mal guéries, les otites laissent souvent de graves séquelles, déplora un médecin de l'hôpital Lakeview.

— Y'a personne qui a réussi à inventer un sirop qui goûte pas le nettoyeur à argenterie! ajouta Monique Leduc. Les enfants détestent!

— Et ne les prennent pas pendant dix jours… On ne peut pas les blâmer, conclut Mélissa.

— Un vaste complot! lança un jeune pharmacien associé à une grande chaîne, en s'esclaffant.

— Moi, je prends des remèdes génériques de la liste de l'assurance médicaments et je n'ai jamais eu rien à redire, intervint Jean-Yves Pagé.

— Moi, opposa Mélissa O'Brien, je suis pour le libre choix. Quand une bonne raison l'exige, j'écris NE PAS SUBSTITUER sur l'ordonnance de mon patient. C'est arrivé quelques fois que le pharmacien a refilé un médicament générique quand même en affirmant que c'était la même chose. Certains de mes patients âgés qui n'ont pas reconnu la nouvelle pilule générique, ont pris aussi la pilule originale. Ils ont donc avalé la « tite penune rose » en plus de la « tite penune verte ». J'en ai deux qui se sont ramassés aux soins intensifs.

— Voilà! s'écria le jeune pharmacien. Voilà à quoi sert le pharmacien! Il est là pour s'assurer que le patient a terminé ses pilules originales avant de commencer les génériques. Le gouvernement veut couper dans les salaires des pharmaciens qui préparent les piluliers aux patients à risque. C'est ridicule!

C'était un jeune Français et Mélissa aimait son accent et le trouvait tellement sympathique!

— En tout cas, annonça Monique Leduc qui semblait assez proche de Jean-Yves Pagé, c'est un passage obligé. Quand tous les médicaments seront génériques, plus de malades seront soignés parce que leurs pilules seront payées par l'assurance médicaments.

— Le communisme! s'écria Mélissa en se mettant à rire.

Le reste de la réunion lui parut étrange, tous les dés semblaient pipés. Selon ses collègues, les médecins erraient complètement et les pharmaciens étaient les seuls à avoir raison. Cette guerre existait depuis que le cours de médecine n'exigeait plus de formation spécifique en pharmacologie.

Voilà pourquoi les pharmacies sont devenues des magasins généraux ! » songea Mélissa. Elle était quand même résolue à ne pas affronter ses collègues puisque c'était sa première participation à ce regroupement. Elle se souvint de cette conférence donnée par un célèbre spécialiste en pharmacologie qui avait fait la preuve que rien ne pouvait remplacer entièrement les médicaments originaux et ses arguments pour le prouver avaient convaincu toute une assemblée de médecins lors d'un congrès à Mont-Tremblant. Bien sûr, si l'assurance médicaments collective ne défrayait plus les originaux, une large part des patients de la clinique Valrose ne pouvant pas se les offrir, au moins la population avait accès à la guérison de la presque-totalité des maladies communes.

Mélissa O'Brien était convaincue qu'il y avait un énorme complot entre le gouvernement libéral et les nouvelles compagnies pharmaceutiques qui poussaient comme des champignons. Copier signifiait mettre de côté toutes les recherches sérieuses exécutées par les firmes originales, toutes les études et les nombreuses statistiques leur permettant de percer le marché.

On attendait dix ans et le médicament perdait son exclusivité. Des pilules *made in China*, voilà tout ! se disait-elle.

Mélissa savait que son opinion ne pesait pas lourd dans la balance. Elle savait une chose, cependant: elle continuerait à écrire sur l'ordonnance NE PAS SUBSTITUER chaque fois qu'un de ses patients le lui demanderait et qu'il accepterait d'ouvrir son portefeuille.

Jean-Yves Pagé leva l'assemblée à 21 h 15. Avant d'enfourner ses documents dans son attaché-case et d'éteindre les lumières de la salle de réunion, il lança à l'intention de Mélissa:

— Docteure O'Brien, il y a un nouveau médicament générique pour traiter les nerfs!

***

L'homme lui parut plutôt sympathique. Fabienne entra dans le bureau en même temps que la secrétaire qui, avant de repartir, salua cette électrice singulière, laquelle avait insisté de manière intempestive pour obtenir un rendez-vous. Luis Sapollino avait la réputation d'être un homme affable, compréhensif et dévoué. Il entrait dans sa douzième année de députation, ayant été dans l'opposition la moitié du temps depuis les deux derniers mandats. Certains racontaient qu'il était plus efficace dans l'opposition qu'au pouvoir. Il connaissait les dossiers de l'immigration, mais était aussi habitué aux consulats généraux et connaissait parfois intimement les délégués canadiens de plusieurs pays amis.

Sapollino était apprécié des gens qui l'entouraient et son opinion valait de l'or.

Fabienne toisait le député. Son cœur s'emballa quand l'homme prit la parole :

— Alors, Docteure Lanthier, que puis-je faire pour vous ? lui lança-t-il tout en regardant partout en même temps, comme ces personnes qui ne posent jamais leur regard.

Elle déposa devant lui une pile de documents, la lettre de Pierre-André, des photos d'elle et lui et de leur fils, des clichés rapides de la prison présidentielle de Port-au-Prince, et quelques autres qu'elle avait conservés dans sa caméra numérique. Elle avait aussi cru bon d'apporter un article du *New York Times* au sujet des conditions exécrables dans cette prison. Son but était évident.

Après avoir mis plusieurs minutes à parcourir les divers documents sans trop s'attarder sur les photos, Sapollino leva les yeux qu'il déposa presque tendrement dans ceux de Fabienne.

— Vous voulez que je vous aide à faire sortir le docteur Caron de cette prison ? Ce ne sera pas chose facile même si Haïti et le Canada ont de bonnes relations. Reste que notre démocratie embête toujours la suite incroyable de présidents qui ont dirigé Haïti, même si chacun fait mine d'y croire.

— Je vous ai apporté le dossier de mon… enfin… du père de mon fils.

— Séparés ?

— Séparés par la vie, il y a quelques années. J'ai tenté de refaire ma vie. Je suis enceinte de mon nouveau conjoint. Mais…

Sapollino observait Fabienne depuis quelques instants et finit par lancer :

— Vous avez refait votre vie, glissa-t-il. Mais vous désirez venir en aide à votre ex-conjoint, c'est ça ? Remarquez que pas un Canadien ne mérite pareil traitement.

— Disons que je dois quand même beaucoup au docteur Caron et j'ai besoin de votre aide. Quand vous aurez lu le dossier avec attention, incluant des pages de mon journal personnel, la liste des événements, vous accepterez de nous porter assistance, monsieur Sapollino, même si l'on doit demander l'aide du ministre de l'Immigration des deux paliers de gouvernements. Je suis prête à collaborer.

Elle allait se lever, mais demeura assise sur le bout de son fauteuil.

— Ça ne peut pas attendre. La personne qui m'a téléphoné m'a assurée que quelqu'un en prison veut tuer Pierre-André.

— Il faut donc intervenir avant. Ça me prendra au moins une semaine avec la meilleure volonté du monde. Lire tout ça, consulter mes conseillers juri-diques, intervenir si on le juge nécessaire. Parfois, on n'arrive qu'à retarder ou à suspendre les événements en envoyant une police secrète chargée des dossiers de Canadiens en mauvaise posture. Mais je n'ai jamais pu rendre la liberté à un ressortissant canadien condamné pour avoir commis un délit aussi important en Haïti. Même si le Québec aime Haïti et accueille un grand nombre d'Haïtiens. Laissez-moi une semaine. Je sais que pour vous, elle semblera une année ! Mais il faut ce qu'il faut. Ma secrétaire va vous rappeler, Docteure Lanthier. J'aurai une réponse pour vous, c'est promis. Je ne sais pas si ce qu'a fait le docteur Caron mérite une peine aussi grave, mais je connais les conditions inhumaines qui sévissent dans cette prison. Il faudrait qu'il ait tué le président pour que le Canada ne fasse pas tout pour le ramener au pays.

— Oh, je ne vous demande pas de le ramener au Canada, Monsieur Sapollino. Juste le faire sortir et l'affranchir ferait toute la différence. Une fois libre, Pierre-André pourra très bien s'en sortir. Haïti est son pays d'adoption. Et il l'aime.

14

Puis ce fut le week-end d'Hubert. Mathieu tenait à ce que Cynthia fasse la connaissance de son fils. Zoé avait raconté à Stéphanie à quel point « la blonde de papa » était gentille, non sans craindre sa réaction.

Ils mirent vingt minutes avant d'arriver chez Mathieu. Hubert cherchait partout s'il n'y avait pas quelque chose de nouveau dans l'appartement de son père, comme un petit animal qui fouine pour être certain de retrouver sa route. Il déposa son sac, puis se rendit dans le bureau de Mathieu où un semblant de chambre l'attendait. Il attrapa sa boîte de Lego et vint s'installer sur la table de la salle à manger en soupirant.

— Qu'a dit ta mère ? demanda Mathieu à son fils.

— Elle a dit: « N'hésite pas à t'affirmer, mon poussin ! » Et elle souriait. Zoé m'a dit que je l'aimerais à mon tour. Elle est où, au fait, ta Cynthia ?

— Elle va venir plus tard. Elle termine son travail à vingt heures. C'est vrai qu'elle est très gentille, tu vas voir.

— Je parie que maman ne l'aimera pas, glissa Hubert. Même si elles sont séparées, les mères n'aiment jamais les blondes. Jules et Jonathan ont tous les deux une belle-mère et ça ne marche pas entre elle et leur mère.

— Ah ! Maman n'aime personne ! ajouta Mathieu. À part son amoureux à elle, ses deux enfants et les grands-parents Latraverse. Elle s'y fera. J'ai tout à fait le droit de refaire ma vie, tu ne penses pas, mon loup ?

— Mais oui, papa ! Mais j'ai hâte que Zoé et moi, on puisse venir chez toi tous les deux ensemble.

— Il faut demander à ta maman. Je pourrais déménager dans un appartement plus grand où vous auriez une vraie chambre.

Hubert tortillait ses cheveux avec nervosité. Il avait cessé de jouer avec ses blocs et semblait porter un gros secret, trop lourd pour un petit garçon de son âge. Mathieu s'en aperçut, mais il s'était promis de ne jamais prendre ses enfants à partie pour savoir ce que leur mère pensait ou disait à son sujet. La monnaie d'échange que constituaient les enfants, c'était l'affaire de Stéphanie. Il ne voulait pas être le plus généreux, le plus permissif, le plus compréhensif des deux. Il ne désirait pas non plus être l'ami de ses enfants. Il était leur père et personne ne le remplacerait jamais dans ce rôle-là. Il avait trop vu de femmes séparées qui n'attendaient que l'occasion de prendre le père en défaut pour exiger d'avoir la garde exclusive des enfants. Plusieurs de ses patientes inventaient même des situations tordues pour que leur ex-conjoint disparaisse de leur vie. Et plusieurs inventions leur avaient explosé au visage. Stéphanie était capable du pire. Il se souvenait de toutes les horreurs qu'elle rapportait sur des couples amis, sans oublier la fois où elle avait vendu des rendez-vous à son bureau pour ses collègues qui avaient besoin d'un médecin de famille. Il arriva même à en rire.

— Tu veux que je commande de la pizza ?

— Maman dit que ce n'est pas bon pour la santé.

— Pourquoi ça ? Si je choisis la végétarienne avec plein de champignons ?

— Ouais, c'est le pepperoni qui n'est pas santé. D'accord, alors. Maman dit que tu ne te donnes jamais la peine de cuisiner.

— Juste une fois de temps à autre. Bon, je commande la pizza, conclut Mathieu.

Il composa le numéro de Tom's Pizzeria, passa la commande, puis vint s'asseoir à la table pour jouer aux Lego. Hubert ne semblait pas dans son assiette et

Mathieu tâchait de ne pas trop insister avec ses questions pour en savoir plus.

— Ça va à l'école, mon loup ?

— Ben oui ! Je suis le meilleur de ma classe. Madame Julie l'a dit à la TS.

— La TS ?

— Oui, elle, c'est Marjorie. Elle vient dans notre classe et elle pose des colles aux amis. Du genre : Avez-vous déjà fabriqué une cabane à oiseaux avec votre papa ?

— Une grosse colle, en effet !

— En tout cas, Marjorie a l'air de trouver ça important, elle, qu'on fasse des maisons aux oiseaux. Elle arrive quand… ?

Mathieu leva les yeux sur son fils avec un air de satisfaction. Hubert réclamait Cynthia.

— … la pizza ? J'ai faim, moi. On n'a pas eu le droit de prendre notre collation parce que Jonathan M., pas Jonathan C., il a fait rire toute la classe quand la directrice est entrée. Il a lancé : *Si c'est pas la direlote* ! Son père est français et c'est comme ça qu'il appelle la directrice. Madame Julie était très fâchée. Pas de collation. C'est terrible, tu ne trouves pas, papa ? Priver des pauvres enfants de nourriture !

Mathieu éclata de rire. Les enfants imitent les parents et répètent tout ce qui les étonne. Il ferait mieux de faire attention à ce qu'il disait.

Cynthia se présenta avant la pizza et une heure plus tôt que prévu. Elle trouva amusant de traiter Hubert comme une grande personne.

— Ça me fait un immense plaisir de faire votre connaissance, Monsieur Hubert.

Puis, contrairement à ce que s'était imaginé Hubert, Cynthia n'embrassa pas son père avec la langue, ni ne l'appela mon amour. Elle frotta plutôt ses cheveux à lui avec tendresse.

— Ça s'est bien passé aujourd'hui ? lui demanda Mathieu en lui pressant le bras.

— Deux décès, des familles éplorées, une petite bobinette qui pleurait sa vie pour sa grand-maman ! Tu me connais, j'ai eu du mal à retenir mes larmes. Je me demande encore si c'est correct d'emmener les enfants au chevet d'une personne qui va mourir.

— La mort est la suite logique de la vie. Il faut que les enfants comprennent ça. Je me rappelle qu'Hubert n'a pas voulu aller à l'école parce que son hamster était mort. Tu te souviens de Hamsterdam, mon loup ? Tu avais tellement pleuré.

— Moui, papa ! Est-ce que je pourrais en avoir un autre ? Avec une belle cage, une roue, une glissade, des tunnels. J'aimerais tellement en avoir un. Jonathan en a deux, lui.

— Tu accepterais qu'il reste ici ? demanda Mathieu. Tu sais que maman n'aime pas les rongeurs. Sauf ceux qui...

Cynthia posa une main apaisante sur son bras avant qu'il ne prononce une grosse bêtise.

— Peut-être es-tu un peu trop sensible pour les soins palliatifs, ma ché... ma Cynthia, ajouta-t-il.

— Mais non, papa, il faut pleurer quand quelqu'un meurt. C'est pour ça que tout le monde meurt.

— Tu crois qu'on meurt pour faire pleurer notre famille et nos amis ? demanda Cynthia.

— Ouais. Mais on peut aussi pleurer quand deux personnes se séparent.

Mathieu faillit s'étouffer. Cynthia ne savait plus quoi dire. Elle se pencha et pressa Hubert contre elle.

Le livreur de pizza sonna.

Ils mangèrent en se lançant des énigmes et en se racontant des blagues d'enfants, et construisirent une grosse maison en Lego. À un moment, le portable de Cynthia brisa leur quiétude. Hubert s'empara du téléphone qui patientait sur le sac de la jeune femme et le lui tendit. Elle le saisit et se rendit dans le couloir pour parler à l'écart.

— C'est maman au téléphone, chuchota Hubert assez discrètement pour que Mathieu n'en tienne pas compte, convaincu que son fils faisait une blague.

Au bout de quelques minutes, Cynthia vint les rejoindre. Elle semblait soucieuse. Son sourire réapparut sur son visage, mais Mathieu trouva qu'il n'était pas sincère.

— C'était Carole de la Maison Soleil, dit-elle. Pour me dire que mon monsieur Doucet est décédé. Ah, Hubert! Tu as tout mangé! Tu es vraiment vaillant!

Cette phrase parut fausse à Hubert. Qu'il y avait-il de si valeureux à manger toute une pointe de pizza? Cynthia s'installa auprès de lui et se mit à s'intéresser à sa vie scolaire, à ses amis, à ses super héros. Visiblement, elle cherchait à cacher son inconfort. Mathieu desservit la table et annonça qu'il allait changer de chemise. Au passage, il embrassa Cynthia sur les cheveux et pressa son bras avec ardeur autour de ses épaules. Elle réagit en lui adressant un sourire énamouré.

En passant près du sac de Cynthia, il redonna vie à son cellulaire, puis lut le dernier numéro qui avait appelé. Il arrêta de respirer et le plancher se mit à tanguer sous ses pieds. C'était en effet le numéro du portable de Stéphanie! Le monde allait s'écrouler autour de lui.

— Je vais aller prendre une douche, annonça-t-il nerveusement.

— Je vais laver la vaisselle et Hubert va l'essuyer, tu veux ?

Mathieu n'avait pas l'intention de dévoiler au grand jour ce qu'il venait de découvrir. Comment diable Stéphanie avait-elle le numéro du portable de Cynthia ? C'était impensable qu'elles se connaissent. Est-ce qu'il était possible que Zoé ait mémorisé le numéro de Cynthia et l'ait transmis à sa mère ? Il y avait anguille sous roche. Il ne voulait pas croire que Stéphanie ait pu manigancer avec Cynthia. Mais cela ne le surprendrait pas étant donné la rage de son ex envers lui. Il opta pour le statu quo. Inutile de tout détruire en quelques secondes alors que son fils en avait amplement assez de l'attitude des adultes !

Il revint dans la cuisine où Hubert et Cynthia continuaient à faire plus ample connaissance.

— Tu n'as pas pris ta douche, Docteur ! dit-elle en riant.

— Je ne voulais pas vous laisser trop longtemps seuls, tous les deux.

**

Mathys-Alexandre Lalonde-Comeau entra dans la salle d'attente de la clinique d'obésité comme s'il était Jules César pénétrant dans l'enceinte de Rome.

La réceptionniste, revenue de son congé de maternité, eut peine à le reconnaître. Il était vêtu d'un jean foncé à jambes étroites, d'une chemise de coton blanc sous un pull bleu pervenche. Au lieu de ses vieilles baskets éculées qu'il n'arrivait jamais à attacher jadis, sa mère lui avait offert des belles Doc Martens en cuir. Il avait fière allure, vraiment. En onze mois, à force d'exercice, d'une diète diversifiée et équilibrée et grâce à un suivi professionnel, Mathys-Alexandre avait atteint son poids santé… et la présidence de sa classe. Plus de transpiration exagérée, plus de ces essoufflements ridicules, plus un camarade pour le traiter de « grosse plorine ». Restait à ses chairs à reprendre leur élasticité avec le temps et des exercices quotidiens.

« Finie la patate de sofa, Docteur ! » s'amusait-il à répéter.

— Viendra un temps où tu ne feras plus référence à l'époque où tu étais obèse. Les gens qui perdent beaucoup de poids ont la mauvaise habitude de toujours parler « d'avant », dit le docteur Raymond.

— C'est parce qu'ils sont fiers de ce qu'ils ont accompli. Quelqu'un qui t'aperçoit pour la première fois ne sait pas tout ce que tu as dû faire pour en arriver là, expliqua Mathys-Alexandre.

— C'est vrai que nous sommes à l'ère de l'avant et de l'après. Les gens ont toujours besoin de comparer. Comme si on leur disait : vous êtes capables, y'en a d'autres qui ont réussi ! ajouta Benoît.

— N'oubliez pas de dire au docteur Crevier que je suis rendu à 160 livres.

— Je vais le lui dire, c'est promis.

— Dites-lui aussi que je sors avec la plus belle fille de ma classe.

15

Mélissa n'avait aucune confiance en cet homme qu'elle trouvait hypocrite et probablement malhonnête. Après chacune des réunions du Regroupement, Pierre et elle passaient de longs moments à discuter des divers enjeux de l'universalité des médicaments, documents à l'appui, puisque Mélissa refusait obstinément d'obtempérer à la demande expresse de Monique Leduc de lui remettre tous les documents après consultation. La secrétaire-trésorière avait bizarrement invoqué la perte des dossiers, la nécessité de faire des copies, l'éparpillement des notes précieuses (lire secrètes) pour justifier sa demande de traiter les documents avec la plus grande rigueur. Mélissa croyait cette demande totalement injustifiée, même si Monique Leduc avait juré que le comité avait voté, avant l'arrivée de la docteure O'Brien pour qu'il en soit ainsi. Fraîchement nommé à la tête du Regroupement, Jean-Yves Pagé avait donné pour exemple l'espionnage industriel en suppliant presque ses collègues du comité de remettre les documents qui allaient être déchiquetés illico.

Il y avait au Regroupement un certain jeu de chaises musicales. Seuls les pharmaciens avaient toujours conservé la motivation d'y demeurer. Mélissa remplaçait, quant à elle, le docteur Jean Vaillancourt qui, après avoir quitté le Regroupement en claquant la porte, était allé travailler en Gaspésie.

Pierre était tellement devenu zen. Il s'était assis au salon après avoir versé deux tasses de tisane. Roselyne dormait depuis bientôt une heure. Mélissa revenait donc de sa réunion du Regroupement et affichait une anxiété qui grandissait, à chaque fois plus intense.

— Ces gens m'inquiètent, Pierre. Surtout le directeur qui est nommé par le ministre de la Santé. Il n'a jamais l'air crédible dans tout ce qu'il dit. Il a l'air d'un hibou, debout devant la table, il scrute tous les récalcitrants, je dirais. Tu sais, le jeune pharmacien que je trouve si sympathique qui ne prend rien pour acquis…

— Comme toi.

— Oui, lui et moi, on ne croit pas tout ce qu'ils nous disent. On a l'air d'opposants à leurs idées. Mais ils font tous dans le générique. Ils ne laissent aucune chance aux patients pour qui les originaux sont essentiels.

— Es-tu allée voir sur Internet au sujet de ton Jean-Yves Pagé ? suggéra Pierre.

— Attends, j'y vais ! répondit Mélissa en saisissant sa tablette.

Apparurent plusieurs notices sur Jean-Yves Pagé. Au sujet de son ancienne responsabilité à la Chambre de commerce, son poste à la Fondation de l'Hôpital de la Cité de la Santé, son inscription sur Facebook. Rien ne lui semblait inquiétant. Soudain apparut une rubrique qui portait le titre de : *Le gouvernement libéral tente de convaincre l'association des pharmaciens de l'importance des médicaments génériques pour la santé du Québec*, conférence donnée lors d'une soirée politique du Parti libéral.

— Attends, je vais voir qui était le conférencier, s'excita Mélissa.

Elle dut se rendre sur le site du Parti libéral du Québec et éplucher les différentes rubriques des événements passés.

— Tiens ici, le 13 février 2011 : « le conférencier, monsieur Jean-Yves Pagé. » Je m'en doutais ! Il est très favorable aux médicaments génériques. Qu'il n'essaie pas de nous faire croire qu'il est là pour présenter les deux faces de la médaille ! Ce gars-là ne jure que par les copies. Les dés sont pipés d'avance, Pierre.

— C'est très évident. Y a-t-il quelque chose au sujet de votre Regroupement ? Sa composition, ses buts, ses idéaux ?

— Ah, toi ! Ses idéaux ! … se moqua-t-elle.

— Tu sais ce que je veux dire. Pourquoi est-il tellement intéressé à ce dossier ? Il a le droit, ma chérie. Ton Pagé a le droit d'avoir un faible pour les produits génériques. Mais il a un but. Il faut que tu trouves. C'est étrange qu'il n'y ait rien sur Internet au sujet de votre Regroupement, compte tenu de l'immense popularité que connaît le sujet à l'heure actuelle.

— Je ne suis pas certaine que les Québécois soient si préoccupés par la provenance de leurs pilules. C'est gratuit ! Et, en plus, grâce aux pharmaciens, la RAMQ surveille la fidélité de chaque assuré à la prise de ses pilules. Ils nous surveillent comme des rats de laboratoire. Ils possèdent des tonnes de données pour suivre notre santé pas à pas, surtout que maintenant, notre dossier est informatisé.

— Il y a quand même des ratés. Rappelle-toi ce que Fabienne nous a raconté au sujet de ce patient décédé qui a reçu ses piluliers toutes les semaines pendant des mois !

— Les journaux rapportent que l'assurance médicaments ne payera que les médicaments copiés. Ce sera aux médecins de veiller à ce que les médicaments copiés soient aussi efficaces que les originaux.

Moi, ça me préoccupe. Et j'ai bien l'impression que Jean-Yves Pagé et sa gang ne seront pas de mon avis. Il y a quelque chose qui me chicote, déclara Mélissa en se calant contre le dossier de son fauteuil.

— Il faudrait mettre la main sur l'incorporation de cette foutue association. J'ai bien l'impression qu'il y a des personnes qui ont intérêt à ce que le gouvernement favorise les produits génériques. Premièrement, le ministre Charrette est un ancien spécialiste en cardiologie et il doit vouloir donner une bonne leçon aux grosses pharmaceutiques qui ont régné pendant longtemps sur les pilules et qui se sont enrichies pendant des années !

— Comment est-ce que je peux mettre la main sur la charte ?

— Accès à l'information !

— Ça va prendre trop de temps et leur mettre la puce à l'oreille.

— Fouille dans son bureau !

— Ah, que tu es drôle, Pierre Cordier ! Inciter ta femme à cambrioler !

— C'est seulement un emprunt ! Tu trouves ton information et tu remets le document à sa place. C'est juste une petite information qui n'est un secret pour personne. Juste pour connaître les raisons profondes de la création de ce regroupement. Tu trouveras peut-être le CV de ton bonhomme, un numéro, les procès verbaux du début, je ne sais pas, moi. Mais si tu as des doutes le moindrement, tu dois chercher. Et quand on cherche, on trouve. Sinon, tu ne serais pas ma Mélissa d'amour !

Elle se lança dans ses bras et enfouit son visage entre les pans de sa chemise. Elle appréciait la moiteur de sa poitrine velue, l'odeur aigre de sa sueur mêlée à l'agrume de son eau parfumée.

Roselyne jouait avec sa poupée, tout aussi noire qu'elle, et tâchait de lui enfiler une salopette. Ses parents l'observaient avec amour. La présence constante de Pierre à la maison avait fait beaucoup de bien à la petite. Au même rythme s'épanouissait la docteure O'Brien.

***

Elle entendait tambouriner les battements de son cœur sur ses tempes. Elle emprunta le couloir nord qui menait au local du Regroupement, situé au deuxième étage du Building Myers. Il était 18 h 30, une heure avant la réunion. Mélissa se dit qu'elle pourrait toujours prétendre avoir du temps à perdre entre la fin de son cabinet et le début de la réunion. Mais il n'y avait pas âme qui vive. La porte de la salle de conférence n'était pas verrouillée. Elle avait déjà remarqué le classeur près de la fenêtre. Monique Leduc s'y rendait au début de chaque réunion pour y choisir des documents, vérifier une adresse ou pour en extraire un ancien procès-verbal. Comme secrétaire-trésorière, elle était impeccable, mais elle était de connivence avec Jean-Yves Pagé. Trop.

Il y avait une serrure sur le classeur. « Pourvu qu'il ne soit pas verrouillé ! » Il l'était. Mélissa balaya la salle du regard. « Sûrement que Monique a la clé ! » Elle s'assit à sa place, déposa son sac devant elle et en sortit quelques articles qu'elle avait découpés dans des revues médicales de la Nouvelle-Angleterre et du Canada anglais, qu'elle trouvait très pertinents, en faveur du libre choix pour les patients, de prendre les médicaments originaux. Il fallait qu'elle ait l'air d'être occupée à consulter ces documents pour ne surtout pas éveiller les soupçons de Jean-Yves et de Monique. « Où pourrait être cette clé ? »

Ils se pointèrent un à la fois et la réunion débuta. Il fut question de la préparation des médicaments pour le Centre d'hébergement de soins de longue durée de Sainte-Marie, de la Maison Épure, du Centre de santé mentale, ainsi que de la disparition des psychotropes d'origine en faveur de ceux que la compagnie Pharmix avait copiés et que les trois psychiatres de la région accusaient, dans un long courriel adressé au Regroupement, de manquer d'efficacité. De plus, une plainte avait été logée après le décès fortuit d'un patient de

51 ans à la suite d'un choc anaphylactique, causé par une allergie à une copie d'ibuprofène.

Un cas qui alimenta chaudement la discussion entre les médecins et les pharmaciens.

— Un seul décès et nous allons mettre en cause la copie des médicaments originaux ! C'est insensé ! lança un des pharmaciens.

— C'est toujours comme ça ! Rappelez-vous ! Un accident d'autobus aux Éboulements et on a dépensé des millions pour refaire toute la route et saboter le paysage ! s'insurgea Monique Leduc.

Mélissa se trouva fort déçue, cette fois. Elle pensait pour sa part que la mort de ce seul patient justifiait de s'arrêter à son cas et de diriger la trajectoire du ministère de la Santé vers le libre choix.

La réunion terminée, elle observa avec une attention toute particulière les gestes de Monique Leduc. Elle la vit ramasser les documents abandonnés sur la table par les participants qui respectaient la demande fallacieuse de Jean-Yves Pagé. Monique aligna les feuilles les unes sur les autres, les introduisit dans le classeur, et ramassa les tasses et puis les verres de plastique qu'elle lança dans la poubelle. Mélissa nota qu'il n'y avait aucun bac à recyclage.

Puis, Monique oublia son trousseau de clés sur la table, à deux sièges de distance de Mélissa. Jean-Yves Pagé appela sa secrétaire pour lui remettre un portable et une immense enveloppe de papier jaune dont personne n'avait parlé de toute la soirée. Mélissa profita d'un moment d'inattention pour jeter le trousseau de clés dans son attaché-case, puis annonça son départ.

— Bonsoir tout le monde. Monique, je vous rappelle pour les informations que je vous ai demandées sur les amphétamines. Bonne soirée !

Elle se hâta de déguerpir. Elle entendit Monique demander à son collègue :

— Tu n'as pas vu mes clés ?

— Tu les avais tantôt.

— J'ai dû les mettre dans mon porte-document. J'espère qu'elles y sont parce que j'ai verrouillé le classeur !

Mélissa entra dans sa voiture. Elle téléphona à Pierre.

— J'ai les clés, mon chéri !

* * *

À la réunion du mois suivant, Mélissa utilisa le même stratagème que la fois précédente, et cette fois, elle put ouvrir le classeur. Elle lut : Affaires en cours — Listes des compagnies pharmaceutiques — Congrès à venir — Coordonnées des membres - RAMQ - Documents Assurance collective — Divers.

Le temps pressait. N'importe qui pouvait la surprendre et alors c'en serait fini de sa participation au Regroupement. La chose commençait à l'exciter comme une bonne vieille enquête de l'inspecteur Colombo. Dans AFFAIRES EN COURS, il y avait les ordres du jour suivis des procès-verbaux des anciennes réunions. Elle ne trouva rien de pertinent après vingt minutes de consultation des documents. Dans les COORDONNÉES DES MEMBRES, rien d'intéressant sauf qu'elle constata que Monique Leduc et Jean-Yves Pagé habitaient à la même adresse mais pas le même appartement. Dans LISTES DES COMPAGNIES PHARMACEUTIQUES, la première page concernait les compagnies à numéros. Il y en avait dix-sept. Mélissa les inscrivit dans son Moleskine. Elle parcourut ensuite les autres inscriptions d'Amapharm à Zotronex. Rien de particulier. Le dossier DIVERS contenait une invitation à un grand tournoi de golf en faveur de la fondation de l'Hôpital Sainte-Marie qui avait déjà eu lieu.

Soudain, elle entendit un bruissement, quelques cliquetis métalliques. Elle referma le classeur en prenant bien soin de le verrouiller, puis chercha nerveusement un endroit où déposer le trousseau de clés de Monique. Elle choisit la machine à café. Elle s'assit et alluma son iPhone, faisant mine de le consulter. Elle n'avait rien trouvé de concluant et se mit à penser à Pierre qui allait bien se moquer d'elle.

Une toux sèche annonça l'arrivée de Jean-Yves Pagé, trente minutes avant le début de la réunion.

— Vous êtes tôt, vous aussi! dit-il à Mélissa en déposant son attaché-case sur la table de réunion.

— J'avais du temps entre la fin de mes rendez-vous et... commença-t-elle.

— J'en profite pour vous dire que j'aime bien vos interventions, Docteure O'Brien. C'est bon de se confronter à un autre point de vue, parfois. Ça permet d'éclairer nos discussions. Ce soir, nous aurons des statistiques à examiner qui nous viennent de l'Association canadienne de la pharmacologie. Plusieurs génériques qui seront lancés dans quelques semaines.

Il se dirigea vers la machine Nespresso.

— Ah, bien, tiens! Ses clés sont restées ici. Elle ne les a pas vues. Une chance, parce que le classeur est barré! Une chance que personne ne les a trouvées. Quelqu'un aurait pu apprendre les coordonnées de tous nos membres, les vôtres, les miennes! On aurait pu avoir des problèmes. Ça joue dur parmi les pharmaceutiques vous savez et il y en a quelques-unes qui connaissent notre point de vue.

— Qui est?

— Mais vous le savez, Mélissa. Notre groupe est favorable à... a tendance à... croit qu'il est préférable...

enfin, comme le gouvernement libéral le propose...
euh... ce n'est pas votre point de vue personnel, on
s'entend. Mais c'est celui de la majorité des membres,
ici. Ah, ah! Nous allons tenter de vous convaincre,
vous le savez bien!

Mélissa écoutait monsieur Pagé radoter en se
disant chanceuse qu'il ne soit pas arrivé plus tôt pour
la surprendre en train de fouiller dans les documents.
Quelle tempête, alors!

Mélissa accepta un café. Tout à coup, un détail
lui sauta aux yeux: le porte-clés de Jean-Yves Pagé
portait le numéro QUEBEC 168910.

Elle crut d'abord qu'il s'agissait là du numéro
d'immatriculation de sa voiture. Puis, elle comprit.
Elle consulta la liste des compagnies à numéros qu'elle
avait notées dans son Moleskine. Elle y trouva le
numéro 168910. QUEBEC 168910. La coïncidence la
remplit d'excitation.

16

Benoît consultait le fameux site Web dont certains patients lui avaient parlé : RateMDs. Il chercha d'abord l'évaluation des patients de Fabienne et se rendit compte de ses qualités humaines et de son dévouement. Les gens, anglophones comme francophones, lui accordaient leur entière confiance et, étonnamment, savaient s'exprimer avec tact et le vocabulaire leur venait aisément. Mathieu Crevier n'avait pas *scoré* aussi haut. Un nombre incalculable de patients n'avaient pas confiance en lui et l'accusaient de négligence. Une patiente, qu'il reconnaissait comme ayant été suivie par Mathieu, racontait qu'il avait laissé s'installer entre elle et lui des sentiments critiquables pour ensuite la laisser tomber comme « une vieille pantoufle ! » Benoît se mit à rire, même s'il se mit aussi à craindre de lire ses propres évaluations. Il y avait cependant un moyen d'effacer certains commentaires anonymes qui pouvaient porter à préjudice. Au lieu de faire taire les méchantes langues, il se dit qu'il allait les effacer pour son collègue Mathieu qui était très dépressif depuis quelque temps. Stéphanie avait usé de sa perfidie pour qu'il tombe amoureux d'une fille, entrée à l'emploi de la Maison Soleil, qu'un ami lui avait présentée juste au moment où Stéphanie voulait faire perdre à Mathieu son droit de garde. Mathieu était devenu muet de rage durant plusieurs jours et en attendant que les avocats se dépatouillent dans cette histoire, il ne voyait pas ses deux enfants. Hubert avait perdu confiance en sa mère et la petite Zoé en avait peur et ne voulait pas la faire fâcher ; elle ne voulait plus aller chez papa.

Le moment était arrivé. Que disait le RateMDs au sujet de Benoît Raymond ?

« Très bon médecin et très humain. Mais ne le dérangez surtout pas pour rien… il préfère s'investir pour les vrais malades », disait celui-ci. Benoît était d'accord.

4,5 sur 5.

« Le docteur Raymond a une bonne attitude en général, mais il faut le suivre de très près si l'on désire recevoir les résultats de ses examens. Il manque de cohérence et ne fait pas toujours ce qu'il dit. Quand on lui téléphone, il vaut mieux parler à une certaine

Jeanne si l'on veut que notre message se rende et qu'il daigne nous rappeler. Il ne pense pas beaucoup à lui. Deux fois, son ventre gargouillait de faim. Son métier semble passer en premier. Le docteur Raymond est à l'écoute, il a de la classe, du savoir. Mais il aurait été mieux comme vendeur de patins à glace. »

3,5 sur 5.

Plus loin, ses yeux s'immobilisèrent sur un commentaire très acrimonieux et il sut tout de suite qui c'était.

« Ce médecin manque des connaissances essentielles pour diriger un centre de soins palliatifs. Il tombe amoureux des infirmières, n'applique pas toujours les lois qui régissent les soins de fin de vie. Notre père y est décédé dans les pires souffrances parce que le docteur Raymond était en train de séduire la directrice des soins. N'allez pas le voir à son bureau pour quoi que ce soit : il va vous rire dans la face ! »

2 sur 5.

Évidemment, il s'agissait du fils de monsieur Jolicoeur qui, en effet, avait souffert malgré une dose de morphine maximale. Il s'était pourtant expliqué avec la famille. Il était vrai qu'il commençait à courtiser Béatrice à cette époque. Les commentaires, élogieux ou hargneux étaient anonymes. Benoît était très enragé et tentait par tous les moyens de faire disparaître ce commentaire qui lui rappelait que Béatrice avait été assassinée. Comment ce fils Jolicoeur pouvait-il seulement dormir après un tel horion contre un médecin qui avait tout donné aux soins de fin de vie ?

Il espérait que personne n'aille consulter ce site qu'il trouvait injuste. Depuis le dernier commentaire, Benoît Raymond avait beaucoup changé, avait cessé de boire, avait vécu des moments difficiles et était devenu un médecin consciencieux. C'est ce que disait Fabienne. Il ne méritait que de l'appréciation de la part de ses collègues. Il consulta sa montre. Il aurait le temps de faire disparaître les commentaires difficiles à accepter à son endroit et envers Mathieu. Il voulait cependant que Fabienne les lise avant.

* * *

Une lettre à caractère officiel lui fut apportée par un employé du service postal. Il souriait sous sa moustache hirsute et lui donna du « ma petite madame » même si, au-dessus de la porte, il avait pu lire l'inscription : Mélissa O'Brien m.d.

Elle le remercia après s'être demandé s'il fallait offrir un pourboire aux employés des services de livraison. Elle referma la porte avec douceur tout en tournant la lettre dans tous les sens. L'envoyeur avait été discret et n'avait indiqué aucune adresse de retour. Qu'un sigle mal estampillé qui ne laissait voir que deux lettres capitales, les deux autres étant à demi effacées. Elle s'assit, puis ouvrit l'enveloppe à l'aide d'un coupe-papier à l'effigie de la Tour Eiffel.

Une feuille 8 1/2 x 11. Papier blanc. Entête de la compagnie Investigation Médic Québec Inc. Il lui avait fallu débourser deux cents dollars mais cela avait valu la peine. Elle serait celle qui déjouerait un complot, une situation qui paraîtrait normale pour certains, scandaleuse pour d'autres. Que des haut-placés et des pharmaciens se graissent la patte en s'associant à des membres du gouvernement, c'était la pire chose. Elle imagina les millions de dollars qui étaient échangés entre les compagnies de produits génériques et le distributeur en passant par les ristournes aux pharmaciens! Le ministre de la Santé, sous prétexte que son gouvernement n'avait de l'argent que pour les médicaments copiés, moins chers, avait été subjugué par les propriétaires de pilules génériques. Et ce n'était là sans doute que la pointe de l'iceberg de ce qui se passait dans tous les autres domaines.

Mélissa put alors lire :

« Voici les renseignements que vous avez demandés :

La compagnie Québec 168910 est une firme de distribution de médicaments génériques pour tout le Québec et le Nord-Est de l'Ontario. (Une liste des médicaments apparaissait.) Le conseil d'administration est composé de :

Messieurs Jean-Yves Pagé
Jonathan Prieur
Victor Petersen
Mesdames Monique Leduc
Marcelle Dion. »

Suivaient les salutations : Je vous prie de…
Et une signature qui ressemblait à un signe chinois.

Mélissa prit une longue inspiration. Elle allait décoiffer Jean-Yves Pagé et sa clique. Des hommes et des femmes d'affaires qui profitaient d'un gouvernement immature pour ourdir un vaste complot sous la bannière de l'assurance médicaments collective. Le peuple lésé, une fois encore !

Elle avait bien l'intention de le démasquer lors de la prochaine réunion. Comment allait-elle s'y prendre ? Appeler un journaliste influent serait la meilleure tactique.

— Pierre ! Écoute ça ! Jean-Yves Pagé et quatre autres personnes sont les propriétaires d'un centre de distribution de pilules génériques. C'est un peu pour ça que certains pharmaciens insistent pour troquer les originaux contre un générique en insistant sur le fait que c'est « la même chose ». Tu comprends maintenant pourquoi les membres du Regroupement sont contre les grosses pharmaceutiques. Pagé et sa madame Leduc sont de connivence! Et tels que je les connais, ils doivent distribuer des tonnes d'enveloppes brunes aux pharmaciens! Veux-tu me dire dans quoi je me suis embarquée, Pierre?

— C'est ton sens de la justice qui t'a poussée là, Mélissa.

— Je veux que les patients qui le désirent puissent s'offrir les originaux, un point c'est tout! Au cours de nos réunions, j'en ai eu pas mal plus que pour mon argent. Des chacals, je te dis! Des bandits qui sont prêts à laisser mourir des gens pour le profit! Tu devrais les entendre au sujet des CLSC!... et des pharmaciens des centres hospitaliers!

— Tu reviens bientôt? lui demanda Pierre.

— Je finis mon bureau à seize heures

, j'ai tous mes résultats d'analyses à éplucher, trois formulaires de la SAAQ, deux transferts et plein de patients à rappeler. On a beau leur dire que si leurs résultats sont normaux, qu'on ne les rappellera pas, ce sont eux qui nous rappellent. Mangez. Je serai là autour de vingt heures. Oh, mon chéri... si jamais il m'arrivait quelque chose...

— Qu'est-ce qui pourrait t'arriver, mon trésor?

— On ne sait jamais. Tu sais, parfois, ces gens-là ont de bien étranges amis... Demain, je serai là pour souper avec Roselyne et toi.

— Tu exagères, je trouve.

— Il y a beaucoup de travail, tu le sais. Roselyne dort ?

— Oui, et après son dodo, je lui ai promis de l'emmener au parc et à la bibliothèque municipale.

— Tu vas au parc presque tous les jours, glissa-t-elle.

— La petite adore. Il y a une mère et sa petite fille qui a l'âge de Rosie. Elles aiment jouer ensemble. Quand il pleut, on aboutit à la bibliothèque.

— Attention à ta vertu, Pierre Cordier ! lança-t-elle sur un ton mi-figue, mi-raisin.

— Attention à quoi ?

— Aux petites poulettes des parcs et des bibliothèques.

— C'est seulement dans les histoires, tu le sais bien. J'aurais pu avoir peur, moi aussi. Regarde ce qui est arrivé à Fabienne, elle est tombée amoureuse d'un collègue de travail.

— Ils étaient déjà de bons amis à la faculté. J'ai de la peine pour Benoît. Fabienne n'oubliera jamais son beau Pierre-André.

— Elle t'a dit ça ?

— Non, pas expressément. Mais je la connais tellement.

Pierre écoutait mais savait que Mélissa serait en retard à son prochain rendez-vous et qu'elle finirait encore plus tard.

— Allez, va travailler. Ah, Roselyne se réveille et j'ai tout mon linge à plier. On se voit ce soir, mon amour. J'ai préparé un osso buco pour souper.

— Un osso buco, toi?

— J'ai suivi la recette de Ricardo.

— Alors, je te laisse.

Mélissa prit encore cinq minutes pour réfléchir à tout ce qui lui arrivait. Elle avait hâte de pouvoir penser à sa réplique assassine lors de la prochaine réunion. Entretenait-elle des craintes? Jean-Yves Pagé était capable de tout et de rien. Mais surtout de tout. Elle songea ensuite à Pierre. Pourquoi avait-elle des doutes sur sa fidélité? Qui était cette femme qu'il rencontrait au parc? Elle se mit à rire quand elle repensa à la phrase: *j'ai tout mon linge à plier*. Plier le linge, oui. Les hommes sont capables de sortir les vêtements du sèche-linge, mais plier «mon» linge, lui paraissait comme une possession amusante. Sa mère et ses tantes parlaient toujours de «mes enfants, ma cuisine, mon salon» comme si tout cet univers quotidien leur appartenait. Pierre, lui, n'avait jamais utilisé un tel possessif.

Il pliait donc SON linge. Elle mangerait SON osso buco et coucherait dans SON lit.

Elle ouvrit la porte, et appela la patiente suivante qui semblait avoir mille problèmes, mais surtout *le taquet bas*.

***

Vers 19 heures, Mélissa sortit de la salle de bains, celle réservée aux médecins et au personnel «haut gradé», le visage illuminé, quasi en extase. Elle tremblait comme une feuille de... tremble. Le test était positif. Elle était enceinte, abattant tous les pronostics d'infertilité que la médecine lui avait servis à plusieurs reprises. Elle ferma son ordinateur et, après avoir mis son test de grossesse positif au fond de son sac à main, elle passa devant la réception vide, saluant le fait que la réceptionniste de soir avait quitté les lieux à la fermeture de la clinique, sinon, Mélissa n'aurait jamais pu garder le secret. Sa mère ayant vécu trois fausses-couches lors des premiers mois de grossesse, elle décréta qu'elle attendrait au quatrième mois avant d'annoncer la nouvelle à Pierre. Il serait fou de joie. Il n'était donc pas stérile lui non plus. De toute manière, Roselyne venait sans doute de se mettre au lit et la sonnerie du téléphone la réveillerait. Bonne raison pour ne pas téléphoner. Elle enfouit donc son grand secret au-dedans d'elle. Elle voulait rencontrer une dernière fois les membres du Regroupement avant de révéler quoi que ce soit.

C'est Fabienne qui n'en reviendrait pas : les deux copines d'université enceintes en même temps !

Elle quitta la clinique après avoir enclenché le système d'alarme, la joie inondant son visage, et elle entra dans sa voiture. La radio jouait du Michel Fugain : « Petit bout de cul à ton père… » La chanson lui sembla de circonstance. Elle porta machinalement la main à son ventre qui était aussi plat qu'une planche à repasser. « Tu ne perds rien pour attendre », lui dit-elle en éclatant d'un grand rire solennel.

* * *

Les pompiers arrivèrent les premiers sur les lieux de l'accident, suivis d'une ambulance et de la camionnette des paramédics. Ils immobilisèrent Mélissa sur une civière gonflable, puis un jeune ambulancier lui posa un carcan pour empêcher sa nuque de bouger. Plusieurs lacérations striaient son visage et le sang s'écoulait de ses nombreuses blessures. Elle se lamentait à cause de la douleur, bien sûr, mais aussi, et surtout, parce qu'elle savait que Pierre allait être très inquiet. Il devait être vingt et une heures et Roselyne dormait sans doute.

Elle avait du mal à respirer et n'arrivait qu'à émettre des sons gutturaux auxquels les ambulanciers et les paramédics ne portaient pas trop attention. Une dizaine de voitures s'étaient immobilisées autour des lieux de l'accident. Une douleur cuisante l'empêchait de parler. Elle aurait voulu leur dire qu'elle était elle-même médecin à la clinique Valrose, et aurait pu, même, leur dire comment faire, elle n'y arrivait pas. Elle aurait surtout voulu leur dire qu'elle portait le commencement d'une vie.

Un liquide salé et ferreux inondait sa bouche par petits à-coups qui suivaient son rythme cardiaque qui s'emportait. Au moins 100 à la minute, se dit-elle. Elle scrutait son corps avec application comme si elle enseignait à une classe d'étudiants, mais avec son imagination. Elle avait quelque chose à la tête. Elle arriva à presser son ventre avec la main gauche, la droite offrant une horrible résistance. Son blouson était déchiré sur le devant. Elle le soupçonnait de laisser paraître ses seins aux yeux des étrangers qui s'affairaient. Pierre aimait tant ses seins ronds qu'il trouvait si doux, sucrés comme des *honeymoons*... et si chauds... mais qui était ce jeune homme qui la fixait... cette rumeur qui l'enveloppait... cette sirène trop stridente qui l'étourdissait...

— On est en train de la perdre! cria le second ambulancier.

À l'hôpital, une infirmière au triage vit arriver les ambulanciers poussant une civière. Un des hommes avait fouillé le sac de l'accidentée.

— Elle s'appelle Mélissa O'Brien. Polytraumatismes. Accident de la route, annonça-t-il en tendant le permis de conduire de Mélissa.

L'infirmière poussa un cri qu'elle endigua derrière sa paume portée à sa bouche.

— Vous la connaissez ? demanda le plus jeune des ambulanciers.

— C'est la docteure O'Brien. Mon dieu ! C'est épouvantable ! Elle risque de mourir ? Que lui est-il arrivé ?

— Sa voiture a percuté un truck de bières. Le gars a dit aux policiers qu'il avait pas vu le stop au coin du boulevard.

— Maudit imbécile ! C'est un médecin tellement sympathique ! Tiens, je vais appeler son mari. Il y a son numéro de téléphone sur la liste des docteurs.

Mélissa entendait tout, mais n'arrivait pas à réagir. Elle voulait leur dire qu'elle était enceinte. Il fallait qu'ils sachent. Pour protéger le fœtus. Elle avait l'impression d'être morte. Elle et son bébé, tous deux sans vie.

Deux infirmiers la transférèrent sur une civière de l'hôpital et ils donnèrent congé aux ambulanciers.

— J'espère qu'elle s'en sortira, dit le plus âgé. On a tellement besoin de bons médecins !

Puis ils disparurent dans la nuit sombre.

Mélissa fut conduite dans une salle d'urgence pour polytraumatisés. C'est le docteur Miron qui la reçut. Deux infirmières nettoyèrent les plaies et cautérisèrent celles qui saignaient abondamment. On lui retira ses vêtements et on l'examina minutieusement.

Pierre, au comble de l'énervement, demanda à Jeanne Beaulieu de venir s'occuper de Roselyne. Jeanne était dans tous ses états et aurait préféré être auprès de Mélissa, qu'assise au milieu du salon, sans personne à qui parler, à attendre que la nuit cède sa place au jour pendant que dormait Roselyne. Qu'allait-elle lui dire, à la pauvre petite ? Ta maman est partie ? Oh que non ! Mélissa ne mourrait pas.

Pierre se présenta au poste des infirmières des soins intensifs. On lui indiqua la cellule 3. Un lit entouré d'un rideau de couleur gris souris. Une infirmière le précéda. Mélissa apparut. La momie du film de son enfance. Des machines, des tubulures, des pansements, une plate-forme pour appuyer son bras, tout était en place pour l'aider à guérir.

Il songea à Jean-Yves Pagé, à sa clique et aux inquiétudes qu'ils avaient provoquées dans la tête de

Mélissa. Bien sûr que ça n'avait rien à voir avec l'accident quoique...

Mélissa avait repris conscience, mais elle demeurait méconnaissable. Après quelques hésitations, la gorge serrée, Pierre se pencha au-dessus de son visage, n'osant pas la frôler.

— Mélissa, c'est moi, Pierre. Comment tu vas, mon amour? disait-il en pleurant comme un petit garçon.

Une jeune infirmière s'amena avec, dans la main, un sac de soluté, souriant avec indulgence. Un médecin, le docteur Luc Ferron, s'était approché.

— Elle va s'en sortir. Peut-être un pneumothorax dû à la collision. Ça aurait pu être pire. Dans deux ou trois jours, nous allons être fixés. Elle a une fracture franche à l'humérus, et une lacération importante à la langue. Quelques blessures mineures au visage, comme vous pouvez le constater. Ma mère était dentellière et elle m'a refilé son talent. Je suis un expert.

Le médecin posa la main sur l'avant-bras de Pierre et lui sourit avec fierté.

— On a sauvé votre bébé!

Pierre faillit s'évanouir.

— Non, vous vous trompez, Docteur. Nous, on ne peut pas avoir d'enfant. On a été diagnostiqués tous les deux.

Pierre se pencha de nouveau au-dessus du visage de Mélissa qui opinait de la tête avec force. Elle posa sa main saine sur son ventre avec un grand sourire. Pierre se remit à pleurer en lui embrassant le front.

— Votre femme avait un test positif dans son sac à main. Po-si-tif, je vous dis !

Un peu plus et le docteur Ferron sortait un cigare.

— Vous ne le saviez pas encore ? questionna-t-il.

— Non, elle n'a pas eu le temps de me l'annoncer, j'imagine, ajouta Pierre.

— On a fait des analyses. Vous allez avoir un enfant ! C'est votre premier ?

— Non, nous avons adopté une petite Haïtienne, Roselyne. Je reste à la maison pour m'en occuper.

— C'est de la bravoure, ça !

— Ah ? répondit-il en songeant à ce que Mélissa lui avait dit la veille : « Si jamais il m'arrive quelque chose… » Vous savez si c'est Mélissa qui a perdu le contrôle ou bien ? On a le nom du chauffeur ? Il avait bu ?

— Monsieur O'Brien…

— Non, moi, c'est Pierre Cordier.

— Monsieur Cordier, la police détient toutes les informations. Je sais seulement que le chauffeur a appelé pour connaître l'état de la docteure O'Brien. C'est rare que les coupables agissent ainsi. On a, je crois, un véritable accident sans responsable.

Mélissa se tourna vers les deux hommes.

— Il n'a rien fait, Pierre, arriva-t-elle à prononcer.

— Allez, dit le docteur Ferron, je vous laisse en amoureux. Les infirmières sont là s'il survenait quelque chose. Elles vont vous monter au deuxième dès qu'une chambre privée sera libérée et que les examens nous en auront dit davantage.

Pierre salua le médecin et, silencieux, heureux d'être père, brisé de voir Mélissa aussi mal en point, il la veilla jusqu'au lever du soleil. Des blessures qui allaient guérir. Une grossesse qui allait se poursuivre. Et des visites au parc et à la bibliothèque qui allaient s'interrompre, songea-t-il.

17

La secrétaire du député Luis Sapollino demanda à lui parler. Sa voix vibrait d'un tel enthousiasme que Fabienne crut un instant que Pierre-André Caron allait ouvrir la porte et entrer, comme la toute première fois, se cherchant du travail.

— Monsieur le député veut vous rencontrer. Il a quelque chose à vous annoncer. Êtes-vous libre ce vendredi à 14 heures?

Fabienne consulta son horaire de la semaine et vit qu'elle avait des rendez-vous jusqu'à 17 heures.

— Je vais faire en sorte de m'y rendre, Madame, répondit-elle.

Elle raya les patients du vendredi après-midi et porta sa liste à Jeanne pour qu'on offre d'autres rendez-vous en remplacement de ceux qu'elle avait annulés. Cette façon de faire exaspérait moins les patients, surtout quand leur rendez-vous n'était reporté que de quelques jours. Elle se sentait cependant toujours coupable d'annuler des rendez-vous et elle constata qu'il en était toujours ainsi depuis qu'elle connaissait Pierre-André. Cette fois, cependant, cela revêtait une importance capitale.

***

Luis Sapollino affichait un visage sévère. Cet homme, quand il ne souriait pas, avait toujours l'air d'une humeur massacrante. Pourtant, il n'en était rien. Quand elle entra à sa suite dans son bureau, il se mit à consulter de façon aléatoire les documents qui reposaient sur son pupitre sous la lampe à col de cygne. Il salua Fabienne, mais ne parla pas tout de suite, question d'établir les limites de son autorité. Il était député, il était Italien. Il se racla la gorge puis, telle une marionnette à fils, s'anima soudain.

— Docteure Lanthier, fou ce que les titres semblaient importants pour ces personnages), j'ai une bonne nouvelle et une moins bonne. J'ai reçu du ministre de la Justice et de la Sécurité publique d'Haïti, monsieur Stanley Hibbert, un petit mot plutôt protocolaire, comme pour étayer les bonnes relations entre son pays et le Québec. Je ne m'attendais pas à ce qu'il me réponde aussi rapidement, vu la situation politique de son gouvernement sans présidence.

Impatiente devant cette tonne d'informations inutiles, Fabienne coupa net son interlocuteur.

— Qu'a-t-il dit ? Quelles sont les deux nouvelles ?

— Le ministre Hibbert a consulté le dossier du docteur Pierre-André Caron. Son dossier judiciaire, bien sûr, mais aussi son dossier disciplinaire. Pour cela, il va libérer votre conjoint…

— Mon ex-conjoint, le corrigea-t-elle.

— Enfin, votre ami, appelez-le comme vous voudrez. Le ministre compte le faire libérer dans deux semaines.

— Oh ! Et la mauvaise nouvelle ? demanda-t-elle.

— Le docteur doit servir de témoin principal dans le procès d'Angelot Vilton, dit Frankenstein, pour seize meurtres. Il a assassiné tant de victimes. Les familles ont exigé un procès qui se tiendra dans un mois, jour pour jour.

— Mais j'étais d'accord, monsieur Sapollino ! Je vous ai dit que mon intervention visait à le faire sortir de cet enfer. Je n'aurais pas voulu être tenue d'annoncer à mon fils que son père était en prison en Haïti. Aussi bien dire, un lieu de torture. J'y suis allée et j'ai vu. Si, au Canada, les truands voyaient comment ça se passe dans les prisons des pays dirigés par un régime présidentiel, ils se tiendraient bien sages sur leur chaise.

— Je comprends. À la bonne heure, ajouta Luis Sapollino en refermant le dossier et en se levant derrière son bureau. Je craignais que vous vouliez le ramener au Québec. Ce qui aurait représenté un dossier pas mal plus difficile dans les circonstances.

— Déjà qu'il pourra peut-être pratiquer de nouveau la médecine, son unique passion, un métier qu'il exerce avec beaucoup de méticulosité… d'habitude.

— Encore faut-il qu'on lui délivre un permis de pratique. Là-bas, ce n'est pas aussi strict qu'au Canada, vous devez vous en douter. Mais connaissant certains fonctionnaires, il pourrait être rabaissé au titre d'éboueur.

— Au pays des sorciers, du vaudou et des esprits maléfiques, les médecins bien formés deviennent une denrée appréciable, Monsieur le député.

— Assurément, Docteure Lanthier. Vous pouvez aussi remercier la tante du ministre de la Justice haïtien, Mathilde Corneille, lâcha-t-il sans raison précise autre que de lui prouver que, partout dans le monde, on peut toujours tirer des ficelles.

— Mathil… mais oui, Mathilde Corneille! Son nom est dans votre dossier?

— Elle a servi de témoin pour le faire sortir de prison. J'ai juste tiré la ficelle d'un ami du gouvernement qui m'a dit qu'elle travaillait avec le docteur Caron il y a quelques années. J'ai simplement mis les morceaux du puzzle ensemble. C'est le rôle d'un député qui est critique à l'immigration pour l'opposition. Je dois hélas quitter mon bureau pour une réunion à Québec.

Luis Sapollino lui serra la main avec un large sourire et la congédia poliment.

Fabienne flottait. Pierre-André Caron était hors de danger. Elle se rendit auprès de sa bonne amie Mélissa qui, de retour à la maison, continuait de récupérer. Inscrite en ergothérapie, Mélissa pouvait maintenant se servir de son bras. Son visage montrait quelques balafres, dont une au front qui ressemblait à celle de Harry Potter. Si, au moins, elle pouvait compter sur ses pouvoirs magiques ! On avait retiré l'agrafe qu'on lui avait installée sur la langue et son élocution reprenait sa vivacité au même rythme que croissait son fœtus. Une semaine encore et elle irait rencontrer son bébé à l'imagerie médicale. Fabienne, elle, avait terminé son sixième mois. Elle commençait à craindre la naissance de son enfant. Elle se préparait lentement à l'innommable.

18

Mathieu ne s'était jamais senti aussi trahi. Stéphanie s'acharnait à lui faire perdre toute confiance. Elle avait, elle, refait sa vie avec le dentiste Gérald Massé qui brassait de grosses affaires en pratiquant la dentisterie. Les soins des dents n'étaient pas remboursés par l'assurance maladie et plusieurs patients de Mathieu lui avaient raconté qu'il suffisait de régler les frais en argent sonnant, ils arrivaient à épargner jusqu'à 50 % sur une facture fantôme. Mathieu imagina combien le dentiste arrivait à sauver d'impôt en ne déclarant que la moitié de son salaire. Il le détestait, bien sûr, mais il était surtout furieux que celle qu'il avait tant aimée puisse partager sa vie et SES enfants avec un tel goujat ! Il avait quand même son orgueil.

Après l'appel de Stéphanie sur le cellulaire de Cynthia, tous les soupçons et tous les scénarios s'étaient entrechoqués dans la tête de Mathieu Crevier. Cynthia avait voulu entendre parler de lui en entrant en contact avec son ex, avant de foncer plus loin dans cette relation ; Stéphanie avait obtenu le numéro de Cynthia en appelant à la Maison Soleil. Pire : Stéphanie voulait un faux témoin pour empêcher Mathieu de voir ses enfants.

Un samedi matin, madame Latraverse contacta Mathieu, lui demandant avec froideur ce qu'il avait fait à Hubert et à Zoé pour qu'ils soient devenus aussi perturbés. Sous le couvert du secret, bien entendu. Mathieu vit là une connivence, une sorte de compassion et, par le fait même, un geste de compréhension envers son ex-beau-fils.

— Demandez à votre fille et à son dentiste, Madame !

— Hubert ne fonctionne plus. Il refuse de manger, il fait le cancre à l'école. Zoé ne veut plus aller chez toi. Tu sais, Mathieu, mon mari et moi, on ne te déteste pas. On n'est pas de la génération des couples qui se séparent pour un oui ou pour un non. On n'était pas d'accord avec notre fille. Ce sont les enfants qui payent. Zoé t'aimait tellement et on n'arrive pas à comprendre pourquoi elle pleure à chaudes larmes quand on lui parle d'aller chez toi.

— Demandez-lui !

— Elle ne veut pas parler. Et Hubert déteste sa mère et surtout son beau-père, on dirait. On s'est tous demandé s'il s'était passé quelque chose de grave chez toi. Ils m'ont parlé de ta nouvelle blonde. Ils avaient l'air de bien l'aimer. Il faut donc chercher ailleurs.

— C'est une amie, une collègue de travail, trancha-t-il avec froideur.

— Ah ? Zoé m'a pourtant raconté qu'elle avait couché… dans ta chambre. Une collègue de travail, vraiment ?

— Madame Latraverse, le bistro, ça va toujours bien ?

— Viens manger un de ces jours avec ta… collègue de travail. Faut bien qu'elle rencontre les grands-parents de tes enfants, non ?

— C'est ça, merci, termina Mathieu avant de raccrocher.

Il avait mieux à faire.

S'il avait raison de croire — et pourquoi ne le croirait-il pas devant une preuve aussi criante — que Stéphanie connaissait Cynthia, et qu'elle n'avait pas hésité à la lancer dans les bras de son ex, il devait la confronter. Pourquoi voulait-elle à tout prix briser cette cellule familiale qu'ils avaient formée tous les deux ? Pourquoi Cynthia risquait-elle de perdre son emploi à la Maison Soleil ?

Un matin, à sept heures, Mathieu se rendit à quelques dizaines de mètres de la maison du dentiste, à un endroit sûr d'où il pouvait surveiller le va-et-vient de ses occupants sans risquer d'attirer l'attention. Il vit sortir Hubert et Zoé, puis arriver l'autobus scolaire. Il aperçut ensuite le dentiste qui s'engouffrait dans sa Mercedes et partait vers le sud. Ne restait que Stéphanie, puisque sa BMW attendait dans l'entrée du garage.

Il ne sonna ni ne frappa à la porte. Après tout, la moitié de cette maison lui appartenait. Il ouvrit la porte et, quand il constata qu'elle n'était ni à la cuisine, ni au salon, il grimpa à l'étage. Elle terminait de s'habiller. Son parfum exhalait jusqu'à ses narines. Des souvenirs capiteux le hantaient. Il devait se retenir de courir prendre cette femme qui lui avait appartenu un jour. Il se dit ensuite qu'on n'appartient jamais à personne. Un craquement. Un froissement. Sans se retourner, elle lança :

— Gérald ?

Mathieu s'avança plus près. Elle cria. Un petit cri aigu entre la peur et la détresse.

— Que fais-tu ici, Mathieu Crevier ? Je suis en retard. Maman m'a demandé d'ouvrir le restaurant.

Elle consulta nerveusement sa montre.

— Il faut que je parte, tu reviendras une autre fois, si tu veux. Je n'ai pas le temps.

246

— Tu vas m'écouter !

Et cet ordre ne laissait aucune ouverture.

— On peut régler ça devant notre avocate. Juste à me dire quand tu es libre pour la rencontrer.

— Non ! Tu vas m'écouter, maudite magouilleuse ! On s'en fout, du restaurant de ta mère !

Elle vit qu'il était sorti de ses gonds, qu'il allait éclater et la tuer, peut-être. Elle le fixa dans les yeux. Ce regard dans lequel elle avait tant aimé se plonger. Que s'était-il passé ? Elle chuchota :

— Cynthia ?

Mathieu devint cramoisi. Il allait exploser.

— Tu me facilites la vie. Tu ne cherches pas à jouer l'innocente. Oui, bien sûr, je veux parler de Cynthia. Tu la connais ?

— Euh, oui. C'est ce qu'elle t'a dit ?

— Oui, mentit Mathieu. C'est ce qu'elle m'a dit puisque tu l'as appelée chez moi l'autre fin de semaine. Elle m'a dit que tu l'avais embauchée, oui, c'est ce qu'elle m'a dit, tu l'avais payée pour se jeter dans mes bras, ma salope !

— Elle est venue manger au restaurant et m'a dit qu'elle travaillait à la Maison des soins de fin de vie.

Il la crut. Cynthia était la seule à ne pas parler de soins palliatifs, mais tenait à dire les soins de fin de vie.

— Je lui ai dit que tu travaillais là, toi aussi, et combien tu aimais cet endroit. C'est tout. Maintenant, laisse-moi aller travailler, Mathieu !

— Combien a-t-elle exigé de toi pour accepter de me séduire, de coucher avec moi, de rencontrer nos enfants, pour que je m'attache à elle, qu'elle te donne son numéro de portable, qu'elle me fasse finalement perdre toute confiance en moi ? Qu'elle perturbe Hubert au point où il fonctionne plus ? Stéphanie, tu es horrible ! Tu es la pire vache que j'ai jamais rencontrée ! En plus, tu me prends la moitié de mon salaire, tu me maintiens par terre sous ta grosse chaussure. Un gars ne peut pas vivre ainsi, craint par ses enfants au point qu'ils ne le voient plus. Maintenant, je suis seul. Je ne vois plus Cynthia. Je suis incapable de retourner à la Maison Soleil où j'avais du plaisir à travailler. Je suis incapable de voir mes patients à la clinique. Tu mériterais que ton arracheur de dents se tue dans sa Mercedes ! Une chose, Stéphanie Latraverse...

Il lui saisit violemment le poignet et elle se mit à gémir.

— Tu ne m'empêcheras jamais de voir mes enfants, t'as compris ? Il y a des circonstances où on ne peut pas empêcher des enfants de voir leur papa !

Il dévala l'escalier et retourna dans sa voiture. Il posa la tête entre ses mains et se mit à pleurer comme jamais cela ne lui était arrivé. Oui, il y avait au moins une circonstance où l'on ne pouvait pas empêcher des enfants de voir leur papa… une dernière fois.

* * *

Il n'entra pas travailler de toute la semaine à la clinique Valrose. Jeanne et ses réceptionnistes n'arrêtaient pas d'annuler ses rendez-vous ou de répondre « absent » pour lui. Il avait trouvé un jeune médecin d'origine turque pour le remplacer à la Maison Soleil. Il ne répondait plus ni à Fabienne, ni à Mélissa, ni à Benoît avec lequel il avait toujours eu une grande complicité. Mathieu Crevier se laissa glisser dans la dépression et se mit à boire. Il ne se rendit plus chez Stéphanie et ne demanda pas de nouvelles de ses enfants. État végétatif.

Un samedi, il décida d'en finir. Il prépara un cocktail avec tous les médicaments reçus en échantillon et puisés dans le dépôt de la clinique. D'abord, il avala du Gravol. Il savait que les autres comprimés létaux seraient aussitôt rejetés à cause de leur forte réaction sur l'estomac et pouvaient ainsi lui faire rater son suicide. Il se vautra au creux d'un éventail de coussins, son cocktail mortel dans une petite soucoupe, un grand verre de scotch sur glaçons à portée de main, et se mit à feuilleter un album de photos de ses enfants, qu''il avait sauvé du naufrage. Il installa le CD de Jean

Leloup: « À toi, ma bouteille de whisky, je lègue ma tristesse et mes ennuis; à toi, ma bouteille de whisky, je lègue mes fuckin' soucis; j'ai raté ma vie... mes amours étaient belles, mais tout me les rappelle... » Il ne pouvait pas rêver plus belle fin que de mourir sur la musique de Leloup.

Il s'apprêtait à avaler le mélange final. Un bruit dans l'escalier. La porte qui s'ouvre. « Qui est l'imbécile qui interrompt mon œuvre? » se dit-il.

— Papa!

Ce mot si puissant. Papa. Mathieu se redressa. Hubert était là, devant lui, comprenant tout ce qui aurait pu se passer.

— Que fais-tu, là, champion? lança Mathieu en balayant tout le *set-up* de sa mort imminente. Comment es-tu venu?

— À bicyclette. Maman a dit à Gérald qu'elle avait peur pour toi. Je me suis dépêché de venir, papa. Qu'est-ce c'est que toutes ces pilules? Tu dois avoir mal. Oh, tu ne devrais pas avaler des médicaments avec de l'alcool. C'est très mauvais, tu pourrais...

Le mot n'arrivait pas à sortir. Hubert venait tout à coup de comprendre. Papa voulait mourir. Il se précipita dans les bras de Mathieu.

— Je venais te dire que je veux habiter avec toi. Toujours. Je venais te dire que je vais le demander à l'avocate et à la travailleuse sociale, celle qui porte un

250

chandail-bedaine à l'école. Je veux habiter avec mon père. C'est tout.

Mathieu savait que son fils l'avait sauvé. Qu'il était arrivé juste au bon moment. Il lança les pilules dans la poubelle et retira le CD du lecteur. Quelque chose d'important venait de se produire. Hubert était venu lui dire qu'il ne pouvait plus vivre sans lui. Il semblait également qu'il avait réussi à toucher le cœur de Stéphanie, qu'elle avait compris son désespoir, qu'il fallait arriver à une entente.

Hubert emménagea chez son père le week-end suivant, après que l'avocate eut été saisie de la demande. Comme si une femme de loi avait l'ultime pouvoir de mettre en scène la vie de ses clients. Mathieu habitait à dix minutes de chez Stéphanie. Et Zoé, quand elle pourrait rouler à l'aise à vélo, ou si sa mère acceptait de la conduire chez papa, pourrait aller et venir à sa guise. Le conflit n'était pas réglé, mais la guerre avait cessé d'être le seul argument.

Le lundi suivant, le docteur Crevier s'attabla devant mille documents à éplucher, mille formulaires à remplir, mille analyses à examiner. Il avait retrouvé le bonheur de vivre en société. Il ne retourna plus à la Maison Soleil, mais discuta avec Benoît Raymond de la possibilité d'offrir des soins palliatifs à domicile pour les patients en fin de vie parmi la clientèle de la clinique Valrose. Un autre projet comme Mathieu les aimait.

Cynthia lui téléphona un mercredi soir, jour de garde au sans rendez-vous. Quand la réceptionniste lui annonça qu'une infirmière de la Maison Soleil tenait à lui parler, il attendit que son dernier patient soit sorti avant de répondre.

— Mathieu, je veux t'expliquer, commença-t-elle.

— Il n'y a rien à expliquer.

— Je sais que je n'ai pas été franche avec toi. Stéphanie m'a demandé de faire semblant de t'aimer parce qu'elle voulait t'incriminer pour que tu ne voies plus tes enfants, et j'ai accepté. Mais...

— Je sais tout ça.

— Laisse-moi parler. Je suis tombée amoureuse solide de toi. Et je n'en peux plus de vivre loin de toi et...

— Toi aussi, tu t'es fait prendre au jeu de l'amour. J'ai des bonnes pilules pour ce genre de mal si tu veux...

— Ne te moque pas de moi, Mathieu. Je suis honnête, pour une fois. Accepte que l'on se voie une dernière fois. Je suis trop malheureuse. Je t'aime, Mathieu Crevier.

— J'ai promis à Hubert de ne pas revenir trop tard. Sa gardienne ne veut plus jouer aux Lego après 19 h 30. Je dois rentrer.

Le docteur Crevier raccrocha..

19

Mélissa revint au travail sous une haie d'honneur formée par les employées de la réception. On la bichonnait avec tant de tendresse qu'elle fut ravie de se retrouver à la clinique. Quelques patients, qui avaient lu les articles dans les journaux à propos du scandale des médicaments génériques, lui démontrèrent leur reconnaissance. Des gerbes de fleurs l'attendaient dans son cabinet.

En effet, après s'être assurée que Jean-Yves Pagé, interrogé, n'avait rien eu à voir avec son accident, elle avait téléphoné au journaliste d'enquête Normand Charron qui, après seulement deux entrevues avec elle, avait réuni tous les éléments nécessaires pour écrire deux longs articles au sujet de ce distributeur de produits copiés et de ses accointances avec le milieu des pharmaciens. Une vingtaine de pharmaciens avaient été reconnus coupables d'avoir accepté des pots-de-vin s'ils acceptaient de faire la promotion de médicaments génériques auprès d'une clientèle fragile, allergique ou intolérante à ce type de pilules. Bien des vieux patients avaient été quasiment forcés d'accepter des copies qui leur avaient causé bien des problèmes. Le ministre de la Santé fut montré du doigt ainsi que l'assurance de médicaments collective.

Jean-Yves Pagé et Monique Leduc furent démis de leurs fonctions respectives et se retrouvèrent au chômage. L'enquête démontra que Jean-Yves Pagé avait baigné dans plusieurs autres magouilles et que Monique Leduc était, en fait, devenue sa maîtresse. À deux, ils avaient accumulé près de trois millions de dollars placés à la banque des Bahamas. Le journaliste fut toute tendresse envers la docteure Mélissa O'Brien, pauvre victime enceinte de son premier enfant. Un article suivit également dans le cahier VIVRE, sur les pères qui demeurent à la maison avec leurs enfants, dont Pierre Cordier était l'exemple parfait.

* * *

On aurait dit que le téléphone hurlait tant sa sonnerie était insistante. Fabienne sursauta et posa instinctivement la main sur son abdomen tendu. Elle savait que lorsque Jeanne lui transmettait un appel sans mentionner le nom de l'interlocuteur, quelque chose de grave s'était produit. Elle crut que c'était des nouvelles de Pierre-André. Elle espérait que Luis Sapollino lui annonce la nouvelle qu'elle voulait entendre.

Au lieu de quoi, une petite voix timide s'excusa de la déranger à la clinique. Elle mit quelques secondes à reconnaître Suzanne Doucet qui avait, avec sa famille, pris Rodolphe Baugniez et Laura Poirier sous son aile.

Fabienne s'était tant attendue à recevoir cet appel qu'elle ne parut pas surprise d'entendre madame Doucet lui annoncer qu'elle avait trouvé monsieur Baugniez mort, la veille, dans son salon. Suzanne lui dit que la police, mandée sur les lieux, soupçonnait un suicide.

— Monsieur Baugniez n'aurait pas commis une chose pareille, expliquait madame Doucet. Il allait très bien quand nous nous sommes vus il y a trois jours. Il s'ennuyait de sa femme, il ne voyait pas de moyen de continuer sa vie. Samedi, nous sommes allés, Louis et moi, souper avec lui. Je lui avais cuisiné des coquilles Saint-Jacques parce que c'était son mets préféré. Louis a choisi un bon vin blanc de La Loire. On a eu du plaisir, on a même chanté des vieilles rengaines de son époque, puis Rodolphe est allé dans sa chambre et nous a rapporté une grosse boîte; il avait écrit notre nom dessus. Il a dit: «J'ai fait du ménage dans mes souvenirs et j'ai gardé ceux-ci pour vous deux. J'en ai préparé une pour les filles, aussi. Il faut alléger sa vie quand on avance en âge. »

— Il a aussi parlé du droit inaliénable de partir quand on le veut ? demanda Fabienne d'une voix brisée.

— Oui, justement. Quelques minutes après notre arrivée chez lui, il a parlé de Procule Magnan qui venait de mourir et il nous a dit : « Il ne voulait plus vivre et il a refusé d'écouter son docteur. » J'ai pensé à vous qui soignez Rodolphe depuis tant d'années. Mais, ce samedi, quand j'ai posé les yeux sur monsieur Baugniez et que j'ai vu le plaisir qu'il éprouvait à nous offrir les souvenirs qu'il avait choisis pour chacun d'entre nous, je n'aurais jamais imaginé qu'il pensait à lui quand il a dit ça.

Fabienne sortit sa boîte de Kleenex et se moucha.

Rodolphe Baugniez ne connaîtrait pas son enfant. Ne verrait jamais tout ce qu'elle avait fait pour libérer Pierre-André de sa prison haïtienne. Il avait depuis belle lurette remplacé Richard, son père, et avait été le confident, le conseiller, l'ami de « sa docteure ».

— Merci de m'avoir appelée, Suzanne, glissa-t-elle. Comment… qui va… ?

— Louis et moi, on s'occupe de tout, Fabienne. *Adoptez un vieil ami* a les ressources, les adresses et les spécialistes pour tout prendre en main. Ne vous en faites pas. Je vous tiens informée, soyez-en assurée. Vous devez être près d'accoucher, non ?

— Deux semaines encore.

— Vous travaillez jusqu'à la fin, c'est incroyable.

— La grossesse n'est pas une maladie. Tant qu'on peut encore bouger, on peut travailler. Je termine demain, justement. Je vais prendre ces deux semaines pour me reposer et m'occuper d'Emmanuel. Parce qu'après, il va trouver que sa maman n'est pas beaucoup là pour lui. Ma mère va venir passer quelques semaines pour m'aider. Elle sera fière de s'occuper de ses petits-fils. Elle habite l'appartement de mon père. C'est à trente minutes de chez moi.

Fabienne se rendit compte qu'elle parlait beaucoup trop. Suzanne semblait embêtée par tout ce qu'elle lui racontait. Elle reprit son souffle.

— J'attends de vos nouvelles. Je veux aller au salon et aux funérailles.

— Comptez sur moi, sans faute ! Euh… un mot encore, Docteure Lanthier. Vous croyez au suicide, vous ? risqua Suzanne.

— Absolument. Il m'avait prévenue. Il croyait que lorsque la vie n'est plus bonne, on cesse d'avaler ses médicaments ; on les accumule et un bon jour, on les prend tous, d'un coup.

— Le coffre de cèdre ?

— Qui vous a dit ça ?

— Il me disait que son plus gros trésor était dans ce coffre. Quand la police est arrivée, il y avait des vêtements de femme étalés autour du coffre ouvert.

Fabienne se mit à rire.

— Il a fait ce qu'il avait dit. Comme toujours.

***

Le vendredi suivant avaient lieu les funérailles de Rodolphe Baugniez. Mélissa y était. Les Doucet aussi. Et Delphine avec son copain Maxime. Louisa et Angèle pleuraient à l'écart. Il n'y avait pas foule, Rodolphe n'ayant aucune parenté au Québec. Quelques amis étaient venus par habitude, qui avaient coutume d'assister aux funérailles de vieilles connaissances rencontrées dans les clubs sociaux. Un vieux policier sorti de sa retraite à Verdun. Quelques amis des Doucet et la nièce de Laura Poirier qui avait beaucoup apprécié Rodolphe Baugniez. Lucie-Anne Boisvert, l'instigatrice du programme ADOPTEZ UN VIEIL AMI, était présente également et jasait avec les gens de la pertinence de son organisme en distribuant des dépliants et des enveloppes pour les dons de charité. Une telle initiative aurait pu paraître plutôt opportuniste dans les circonstances, mais Fabienne comprit que tant de personnes seules pouvaient bénéficier d'être adoptées par de bonnes familles de leur quartier qu'elle ne releva pas l'affaire. Un prêtre catholique fit une homélie qui parut à ceux qui connaissaient bien Rodolphe Baugniez, anticlérical qu'il était, presque déplacée. Il n'y eut aucune prière autour du cercueil. Que la musique préférée du mort. Quelques photos montrant Rodolphe en train de rire, ou discutant ferme avec l'une des filles Doucet. Sorties de temps immémoriaux, quelques images d'un jeune policier, vêtu d'un complet trois-pièces, chapeau cabossé, cigarette entre les lèvres, appareil photo au cou. « Il était beau », se dit Fabienne.

Les gens parlaient entre eux et contaient les souvenirs qu'ils gardaient de Rodolphe Baugniez. « Un sacré détective privé issu de la police belge », disaient les uns ; « le meilleur ami du monde », songeait Fabienne.

Mélissa et Fabienne discutaient de leur grossesse. Mélissa avait hâte que son ventre s'affiche avec plus d'autorité. Fabienne lui parla de Pierre-André Caron et de sa demande au député Luis Sapollino qui l'avait fait sortir de prison grâce à des tractations avec le gouvernement haïtien.

— Et Benoît ? demanda Mélissa.

— Il n'en parle pas. Je crois qu'il se doute que j'ai fait des démarches. Je ne lui en ai pas parlé parce qu'il serait très fâché. Benoît est terriblement jaloux. Mais il a hâte de serrer son fils dans ses bras. Il adore

Emmanuel, mais ça se voit que ce n'est pas son fils. Il parle de l'autre comme du centre de sa vie.

— C'est exactement la même chose pour Pierre. Il aime Roselyne, mais... cet enfant-ci est le nôtre. Et j'espère que cet enfant va nous rapprocher. Depuis quelque temps, Pierre est un peu... refroidi. Il est de bonne humeur, il a créé une relation particulière avec notre fille, il l'emmène au parc... et à la bibliothèque tous les jours. Il m'a parlé d'une maman et de sa fille Julie avec lesquelles il a... il développe une relation amicale. Ça m'inquiète énormément, Fabienne. Pierre est en train de m'échapper.

Fabienne saisit la main de son amie et soudain, comme si la foudre s'abattait sur elle, elle se plia en deux en haletant.

— Ça commence! arriva-t-elle à prononcer.

— Quoi? Tes contractions? Il te reste deux semaines. Tu crois que c'est ça? demanda Mélissa en aidant Fabienne à s'asseoir.

Plusieurs personnes entourèrent les deux femmes. Le responsable de la maison funéraire courut en entendant les éclats de voix inhabituels. À l'aide de son cellulaire, il appela le 911.

De son coté, Mélissa téléphona à Benoît à la clinique. Il fallut qu'elle passe d'abord par Jeanne qui s'égosillait. Elle finit par avoir Benoît au bout du fil, qui bafouillait, n'étant pas prêt à l'accouchement deux semaines avant la date prévue.

— On se rend chez vous. Il faut appeler la sage-femme tout de suite ! Tu vas t'en occuper ?

— J'espérais qu'elle se rende à la maternité de Sainte-Marie. Et qu'elle accouche avec un obstétricien.

Mélissa répéta à Fabienne ce que lui disait Benoît.

— Tu crois avoir le temps de te rendre à la maison et d'attendre l'arrivée de la sage-femme ? Tout installer, préparer l'eau chaude et le lit pour ton accouchement ? Ça m'a l'air de presser, ma pauvre Fabienne. Tu as des contractions aux trois minutes, ajouta-t-elle en consultant sa montre. Le monsieur a appelé 911.

— Mais de quoi il se mêle celui-là ? Je veux me rendre chez moi.

Au même instant, Fabienne sentit le liquide tiède couler sur ses jambes.

— J'aurai pas le temps ! cria-t-elle.

— L'ambulance est arrivée. Ils vont t'aider, Fab ! Je serai là moi aussi. Je n'ai pas fait d'obstétrique depuis mon internat, mais je vais essayer de t'aider jusqu'à ce qu'on arrive à l'hôpital. Dis-toi que des milliers de femmes accouchent à chaque minute dans le monde. Respire profondément, Fabienne.

Benoît entra dans la salle d'accouchement, rassuré par la tournure des événements. Il n'était pas d'accord avec la sage-femme ni avec l'idée que la naissance de son fils survienne dans le lit où il avait été conçu. Les infirmières s'activaient et Mélissa se vêtit pour la circonstance. On attendait le médecin de garde. Il n'arrivait pas. Le bébé se mit à pousser jusqu'à montrer ses cheveux.

— Mon dieu, il arrive !

— Qui, le médecin ?

— Non, le bébé ! annonça Mélissa.

— Déjà ?

— C'est son deuxième, glissa Benoît. Il ne faut pas l'oublier.

L'infirmière se mit à rire.

— Vous êtes trois docteurs et on va revirer le monde à l'envers parce que l'obstétricien est en retard ! dit-elle en prenant les choses en main. Docteur Raymond, préparez les clamps. Agnès, prépare les couvertures. Madame Lanthier, occupez-vous de pousser quand je vous le dirai. Pas tout de suite. On attend la prochaine !

Elle arriva, aussi longue et forte qu'une vague du Pacifique. Benoît vit la peau de l'abdomen de Fabienne se durcir, le bébé s'extraire de l'utérus en faisant des mouvements violents, le visage de Fabienne se contracter, et, en quelques minutes à peine, il vit une masse bleutée, visqueuse qui aussitôt se mit à crier. Il ne pouvait pas croire que ces quelques secondes d'extase qu'il avait connues un soir, avaient abouti, quarante semaines plus tard, à un enfant prêt à révolutionner son existence. Ses cils se chargèrent de larmes qu'il tentait d'endiguer. Mélissa pleurait elle aussi devant ce miracle, mais aussi en songeant à ce bébé qui poussait en elle. Benoît, aidé de l'infirmière, clampa le cordon ombilical et le trancha de manière définitive.

— Montrez-le-moi! lança Fabienne avec insistance.

Elle avait hâte de prendre son enfant, chaud, replié sur lui-même, qui fixait la lumière avec curiosité. L'infirmière posa un bonnet vert sur la tête de l'enfant, l'enroula dans une couverture chaude et le déposa sur la poitrine de Fabienne. Elle se mit à pleurer à son tour, touchée, convaincue que la vie était bonne avec elle, pour une fois.

— Le radiologiste s'est trompé! cria Fabienne en bécotant la petite tête humide.

— Il est beau. Il me ressemble, glissa Benoît.

L'obstétricien entra et fut accueilli par cinq paires d'yeux qui le dévisageaient. Il s'excusa de son retard. Tout le monde se mit à rire.

Après une heure de pleurs, de rires, de discussions au sujet du système de santé et de l'accouchement à l'hôpital, Dolorès Comtois entra, complètement ahurie.

— Tu ne vas pas l'appeler Richard, j'espère ! dit-elle en riant. Oh, comme il est beau ! Est-ce que je peux le prendre ? Mon dieu, Benoît, il te ressemble. Où avez-vous mis Emmanuel ?

— Chez mon frère et ma belle-sœur, lança Benoît.

— Je vais aller le chercher, dit Dolorès. Il était tellement persuadé qu'il verrait naître son petit frère.

Fabienne embrassa sa mère. Toujours là quand elle avait besoin d'elle.

FIN